ANA VIANA

É HOJE:

"

AQUELE ESTRANHO DIA QUE NUNCA CHEGA ...

... O DIA DO PRESENTE DE ANIVERSÁRIO!!

ANTES TARDE DO QUE NUNCA.

SÉRGIO PAVANELLO

07/2001

OBJETIVA

LUIS FERNANDO VERISSIMO

AQUELE ESTRANHO DIA QUE NUNCA CHEGA

OBJETIVA

EDITORA OBJETIVA LTDA., rua Cosme Velho, 103
Rio de Janeiro - RJ - CEP: 22241-090
Tel.: (21)556-7824 - Fax: (21)556-3322
INTERNET: http://www.objetiva.com

Edição
Isa Pessôa

Capa e Projeto Gráfico
Silvia Ribeiro

Foto de Capa
copyright by Thomaz Farkas

Revisão
Renato Bittencourt
Mariflor Rial
Tereza da Rocha

Editoração Eletrônica
Abreu's System

As crônicas aqui reunidas foram publicadas no *Jornal do Brasil*, *O Globo* e *Zero Hora*, entre agosto de 1997 e setembro de 1999.

1999
10 9 8 7 6 5 4 3 2

Sumário

O efeito Brasil

Galeria de tipos

Os anos Éfe Agá

O *século americano*

V*oando no funil*

O *efeito Brasil*

PASÁRGADA

Manuel Bandeira escreveu um dos refrões nacionais quando ansiou por estar em Pasárgada, onde era amigo do Rei. É o que todos nós queremos. Até dispensaríamos os outros atrativos da terra sonhada do poeta – ginástica, bicicleta, burro brabo, pau-de-sebo, banho de mar, beira de rio e mulher desejada na cama escolhida – se tivéssemos a consideração de nosso amigo, o Rei. Para alguns, ser amigo do Rei significa ter influência no governo, qualquer governo. Para outros, significa ter dado o passo mágico com o qual, no Brasil, os que estão por fora passam para dentro. Ter transposto o balcão que separa os que atendem mal dos que são mal atendidos pelo Estado. O serviço público é a Pasárgada de muita gente, mesmo que, ao contrário da Pasárgada de Bandeira, não tenha tudo nem seja outra civilização – seja um serviço mal pago com poucos privilégios. Não importa – está-se ao lado do Rei, livre da danação de ser apenas outro cidadão brasileiro.

A amizade do Rei é desejável justamente porque, num país como o Brasil, não basta ser cidadão para ter direitos de cidadão. Nossa grande ânsia por Pasárgada vem desta consciência do Estado não como algo que nos serve mas como um clube de poucos, do qual é preciso ser membro porque a alternativa é ser sua vítima. Outra Pasárgada é a terra do dinheiro e do pistolão, dos que podem olhar as filas do SUS e a miséria à sua volta como se olhassem outro país, no qual felizmente não vivem.

Agora, Pasárgada mesmo, Pasárgada além da sonhada, é não ser só amigo do Rei, é ser da sua corte. Ser da minoria dentro da minoria que desmanda no país. Estar no centro dessa teia de cumplicidades tácitas que sobrevive a toda retórica reformista e enreda, suavemente, quem chega a ela, por mais bem-intencionado que chegue. É uma confraria sem estatutos ou regras claras, uma confraria que nem bem conhece a si mesma. Você só sabe que está em Pasárgada, e que é bom. Como existem cemitérios de automóveis, Brasília deveria ter, nos seus arredores, um cemitério de boas intenções, descartadas na entrada da corte. O truísmo que todo poder corrompe tem sua versão brasileira: aqui o poder, além de corromper, ameniza.

FEITICEIROS OU BOBOS

Simpatizo com os intelectuais, talvez porque já tenham me confundido com um (devem ser os óculos). Os intelectuais têm efeitos contraditórios nas pessoas. Ou são tratados com uma certa reverência, na qual entra um pouco da velha deferência brasileira ao doutorismo – ou apenas a quem fala difícil – ou são tratados como "poetas" inocentes e desligados do mundo. Ou são os feiticeiros que dominam a sabedoria da tribo ou são os bobos da tribo. Diante de um intelectual, as pessoas se sentem desafiadas a provar que não são burras e se tornam agressivas, ou então ficam condescendentes e até ternas. Coitado, é um intelectual, o que se pode esperar dele num mundo mau? A classe intelectual deve se preocupar com o momento porque uma das formas que está tomando o desencanto com Éfe Agá é a do antiintelectualismo. Ele seria poeta demais para o cargo, um príncipe-filósofo mais filósofo do que decidido. A conclusão de que são, afinal, as virtudes do intelectual que atrapalham o presidente – a ponderação, o apelo à razão e aos bons sentimentos, o amor à frase pela frase, até a pretensão a um maquiavelismo calculado no trato com as forças contraditórias que o apóiam – acabaria com qualquer chance de outro intelectual chegar à Presidência num futuro próximo, classe. O Pensamento Único que protegeu Éfe Agá até agora se baseava na certeza de que ele era um feiticeiro. A categoria precisa se mobilizar para que não cheguem à injusta certeza oposta, a de que ele foi o bobo do processo. Todo intelectual brasileiro tem a obrigação de convencer, nem que seja só o seu porteiro, que Éfe Agá pode ser ruim por 117 outras razões, mas não porque pensa demais.

ONDE ESTAMOS

De tanto repetirem que o Brasil não é a Rússia, comecei a desconfiar. Será que não é? Este governo tem-se esforçado para nos convencer de que o Brasil que a gente vê não é o Brasil de verdade, é outro país. E se é outro país, por que não pode ser a Rússia? Agora, toda vez que eu saio de casa e dou com o Brasil que a propaganda do governo diz que não é o Brasil, começo a prestar atenção. Se não é o Brasil, que país é este? Onde, afinal, nós estamos?

Não se vê nenhum sinal ostensivo de que estamos na Rússia. Os indícios, se existem, estão muito bem camuflados. Neva em alguns lugares do Sul do Brasil, no inverno, mas nada comparável à Rússia, onde neva em toda parte a toda hora. Mas quem nos assegura que o próprio clima tropical não faz parte da dissimulação? Se o Brasil é mesmo tão tropical assim, por que tem que fazer tanto calor com tanta freqüência, como se estivessem preocupados em enfatizar justamente a nossa diferença da Rússia? O mesmo pode ser dito da nossa paisagem, tão convenientemente o oposto das estepes russas. Conveniente demais.

Alguns cartazes que você vê na rua têm as letras invertidas – como se sabe, russo é de trás para diante – mas aí não é russo, é erro de português mesmo. Ou serão recaídas no alfabeto russo por dissimuladores distraídos? Há muita coisa escrita em inglês, o que também é suspeito. Durante muito tempo, Rússia e Estados Unidos foram arquiinimigos. Se você quisesse convencer alguém de que o Brasil definitivamente não é a Rússia, não tem jeito de ser a Rússia, é até uma anti-Rússia, qual seria a melhor maneira de fazer isso? Convencendo-o de que o Brasil é os Estados Unidos, claro. Quanto mais vejo apóstrofes, nomes em inglês, filmes americanos e *mac-chickens*, mais me convenço de que estamos na Rússia.

Outra coisa: a imprensa. Tentam disfarçar, mas a imprensa brasileira cada vez mais se parece com a imprensa russa. A própria insistência com que nos dizem que o Brasil não é a Rússia reforça a desconfiança de que estamos na Rússia, pois a imprensa russa não fazia outra coisa senão tentar convencer os russos de que o país que eles viam também não era a Rússia, que a Rússia de verdade era a da propaganda do governo. Quanto mais os jornais nos asseguram que o Brasil não é a Rússia, mais desconfiamos de que estamos lendo versões do *Pravda* com as letras trocadas.

Há outras semelhanças que fazem pensar e desconfiar. Nós também saímos de um período de economia dirigida para um período de economia aberta que culmina com um período de economia mafiosa, com a única diferença que a máfia russa – realizando um sonho das máfias de todo o mundo, que até agora não tinham passado da bazuca – tem armas nucleares. No Brasil, como na Rússia, também há gangues organizadas brigando pelo espólio do estatismo enquanto o povo fica à parte, convencido pela propaganda do governo que o dele já vem. E tanto lá como aqui, se é que aqui não é lá, tudo se deve a uma rendição incondicional a um charlatão oxigenado chamado Mercado, que teria as respostas para tudo.

Sei não, numa dessas caem os disfarces e se revela que o Brasil é, sim, a Rússia. Como o inverno russo se aproxima, acho que vou comprar um gorro de pele. Pelo menos salvo as orelhas.

IDÉIAS SEM FUTURO

O problema com as idéias muito simples é que elas se complicam. Basta você ter uma idéia simplesmente genial para começarem a aparecer as dúvidas e as restrições que acabarão por derrotá-la. É por isso que o Brasil está na mão desses pês, agás e dês que sabem tudo e não acertam nada. É porque eles complicam. Nós, os simples, não somos ouvidos.

Eu li que o ACM tinha comentado que o valor do salário mínimo era inferior ao custo da sua gravata. E tive o estalo. Por que não estabelecer o valor das gravatas do ACM como parâmetro para o salário mínimo? Por lei, o salário mínimo seria sempre igual ao preço da gravata mais cara usada pelo ACM, no Senado, durante o mês. Um salário mínimo igual a uma gravata do ACM – ou GACM, como fatalmente seria chamado o índice. Como, por lei, o salário não pode mudar para menos, mesmo que o ACM, por birra, aparecesse um dia com uma gravata de 1,99, valeria o preço da Hermés. Ou, para livrar o país de uma vez por todas do arbítrio do ACM, poderia fazer-se uma média dos preços das gravatas de todos os senadores em plenário durante o mês e usá-la para calcular o mínimo. A qualquer ameaça da bancada governista de só usar gravata borboleta, para baixar a média – ou, ignorando o regimento da casa para ajudar o governo, o que acontece muito, aparecer no plenário sem gravata –, a oposição investiria em gravatas caras para ajudar o trabalhador, ganhando, inclusive, uma justificativa social para sua elegância. Mas já me avisaram que a contabilidade seria difícil e que a idéia certamente acabaria numa proposta patronal, aos trabalhadores, de trocar o salário em dinheiro por uma gravata mensal – de vereador. Quer dizer, complicaram.

Não vou nem falar na minha idéia de fazerem telefones celulares descartáveis e comestíveis. Quando acabasse a carga do celular, o usuário compraria outro e o antigo, com alto valor calórico, seria usado para reforçar a dieta da população menos favorecida pela revolução tecnológica e a privatização. Já sei o que vão dizer. Muitos não-favorecidos não teriam paciência para esperar e comeriam os celulares ainda novos, com a orelha do usuário junto. Outra grande idéia sem futuro.

NOVO COMEÇO

É um pouco como o homem da anedota, que matou o pai e a mãe e, no seu julgamento, pediu misericórdia para um pobre órfão. O governo quer a compreensão dos trabalhadores para o sacrifício de mais alguns dos seus direitos no combate ao mal que ele mesmo criou com seu modelo empregocida. Em vez de substituir o paternalismo e o obsoletismo de muito da legislação trabalhista por formas mais modernas de proteção social, estão saindo da Era Vargas para trás, para o sistema semi-escravagista, que hoje continua no campo mas então era regra em toda parte, e no qual o patrão decidia tudo sobre a vida do empregado.

Por trás da conversa mole de flexibilização e racionalização das relações de trabalho está apenas outro capítulo, versão periferia dependente, da volta triunfante do capital ao seu paraíso perdido do deixa-fazer total, pisando, no caminho, em todos os direitos conquistados pelo trabalhador em cem anos. Estamos numa onda de retroação. Nações se desfazem em tribos, o mercantilismo selvagem volta travestido de globalização e o capital mal pode esperar a passagem do milênio para estar de novo no século 19, desta vez com o computador e sem os socialistas.

O que atrapalhou o capital foi que, junto com a burguesia que ele criou, nasceu a moral burguesa, um subproduto inesperado e até hoje de gênese misteriosa. A brutalização das relações humanas pelo mercado teve sempre a companhia incômoda da consciência, mesmo que fosse só na forma de duas ou três vozes insubmissas, ou da arte sentimental. Até o materialismo "científico" de Marx vinha tocado pelo sentimento de que idéias justas resistem à lógica da exploração inevitável do fraco pelo forte por nenhuma razão científica. Apenas por serem justas, seja lá o que isso for. Levou tempo, mas o capital conseguiu se libertar de todas estas baboseiras que só diminuem o lucro. Vai começar o próximo século 19 com a agenda limpa.

BUNRAKU

O Brasil parece um imenso *bunraku*, que não é palavrão mas o nome daquele teatro de bonecos japonês em que figuras articuladas, do tamanho de crianças, são manipuladas por pessoas vestidas de preto. Os manipuladores estão sempre à vista mas, como estão cobertos de preto dos pés à cabeça, inclusive o rosto, ficou convencionado que são invisíveis. O *bunraku* nasceu em Osaka no século 17 e, a não ser pelo uso de refletores elétricos, deve ser igual hoje ao que era no seu começo, inclusive com as mesmas histórias reincidentes, todas passadas no Japão medieval. Mudam as figuras, mas não muda mais nada. O *bunraku* durou até hoje porque suas convenções nunca foram questionadas. As reincidências do Brasil também dependem deste respeito tácito às convenções do espetáculo. Ficou combinado que ninguém vê os manipuladores em cena. No nosso caso, também só mudam os bonecos.

Vi, na mesma noite, partes da gravação da tal aula magna do Éfe Agá em Brasília – excelente, por sinal, ainda mais levando-se em conta que tudo aquilo era para explicar o Renan Calheiros – e da entrevista do Collor ao Casoy. E fiquei pensando que o nosso *bunraku* tem uma perversidade que o japonês não tem. Lá a artificialidade do que se vê em cena é enfatizada. Quanto mais estilizada a apresentação, mais você tem consciência do que precisou renunciar para aproveitá-la, da sua cumplicidade no fingimento. No *bunraku* brasileiro querem que você acredite na autonomia do boneco. As convenções do espetáculo que você precisa respeitar são não apenas que os homens de preto não estão ali, mas que os bonecos fazem diferença. Que poderiam até, se quisessem, expulsar os manipuladores de cena e nos salvar da sina da eterna repetição, posto que são homens providenciais.

O *bunraku* japonês é muito mais honesto.

LONGE

Tem um velho provérbio chinês que diz: sempre que estiver em dificuldade para começar uma crônica, apele para um velho provérbio chinês. E tem outro provérbio chinês, que acabei de inventar, que diz: quando não existir nenhum velho provérbio chinês apropriado para começar uma crônica, invente um. Inventei o seguinte: quanto mais longe de uma explosão, mais se sabe sobre ela.

É um provérbio obscuro, reconheço, mas vou contrariar todas as regras dos velhos ditados chineses e tentar esclarecê-lo. Certamente a última pessoa a quem você deve pedir informações sobre uma explosão é quem esteve no meio dela. Esta não terá condições de responder mais nada a ninguém, nunca. Você também não saberá muita coisa sobre a explosão entrevistando quem estava a poucos metros do local. Serão pessoas traumatizadas pelo evento, incoerentes, e cada uma terá uma versão diferente do que aconteceu. Não adianta também perguntar aos bombeiros ou aos policiais que acorrerem ao lugar da explosão – eles estarão muito ocupados fazendo seu trabalho. Perguntar aos jornalistas, então, nem pensar. Estes terão as explicações mais desencontradas.

O que você deve fazer, portanto, é ir afastando-se do local da explosão até encontrar alguém que não ouviu sequer o estrondo. Esse saberá o que aconteceu. Esse terá o fato em estado puro, separado da sua circunstância, e poderá desenvolver uma teoria irreparável, uma teoria a salvo da realidade.

Para falarmos do Brasil e dos seus problemas atuais com isenção teríamos, antes de mais nada, de não estar aqui. Ajudaria se fôssemos escandinavos. Ou então se vivêssemos naquele estranho Brasil que não é Brasil, que não sofre o Brasil na carne e que está a salvo de todas as suas concussões: a terra da nossa elite dirigente, a Escandinávia virtual dos nossos tecnocratas. É lá que a sabedoria do meu provérbio é provada, pois é lá – longe das ruínas do dia-a-dia, longe das circunstâncias que desmentem e atrapalham – que vive, incontestada, a nossa classe explicadora.

HEREGES

Quem lê um pouco sobre ciências humanas, não só antropologia mas coisas como genética, mecânica celular e até o misterioso funcionamento do cérebro, fica impressionado com a confirmação constante da teoria da evolução das espécies que, como as principais sacadas do Einstein na física, ainda não foi desmentida. No fim, dos três pensadores revolucionários do século 19 – Marx, Freud e Darwin –, só Darwin continua com seu prestígio em alta e sua teoria intacta. Só Darwin derrotou a oposição.

Nem Marx nem Freud foram exatamente desautorizados pelo tempo. O marxismo continua dando as melhores direções para se entender o processo do mundo e há quem diga que nem como profeta Marx fracassou, pois nada do que está acontecendo por aí foge muito do seu manual. Mas a sua revolução do pensamento foi absorvida e, para grande parte da humanidade, continua sendo a heresia, não a verdade. Freud ainda é importante, mas ele e a sua revolução também foram engolidos, digeridos e, em grande parte, evacuados, para usar uma imagem como as de que ele gostava. A terapia freudiana individual se modificou, embora ainda não esteja perto o dia em que os comprimidos substituirão os analistas, e nenhuma das implicações sociais das suas descobertas chegou a ter muita influência na História. E, de certa maneira, as idéias de Marx e de Freud tiveram que brigar entre si, o que as enfraqueceu na sua corrida pela relevância com a heresia de Darwin.

Talvez Darwin deva sua permanência não apenas à autenticação científica, mais fácil no seu caso do que nos casos de Marx e Freud, mas ao fato de ter um inimigo mais fraco, embora parecesse ser mais formidável. Marx teve que brigar com o capital internacional, Freud teve que enfrentar a mentalidade vitoriana e todos os mitos estabelecidos da nossa sexualidade e do nosso caráter. Darwin parecia que tinha contra si uma Igreja tirânica e seus dogmas de ferro, e só tinha a singela parábola inaugural de um homem e uma mulher e um paraíso. O criacionismo ainda tem seus defensores mas, desde o século 19, estava condenado ao descrédito, e pela própria Igreja. Na verdade, estava condenado ao descrédito desde que Eva desobedeceu ao Criador e comeu aquela fruta, e a ciência começou.

TEM GENTE

Não quero ser alarmista, mas já tem gente matando tubarão a soco. E isso é só o que saiu nos jornais. Não foi noticiado, mas já tem gente assaltando cachorro pela coleira, comungando pela hóstia e guardando pastel pelo ventinho quente. Tem gente apertando porteiro eletrônico só pra ter com quem conversar, respondendo a alto-falante e discutindo com mensagem gravada. Tem gente fazendo rodízio de pé – segundas, quartas e sextas pula com o direito, terças, quintas e sábados com o esquerdo, domingos fica em casa – pra economizar sapato. Tem gente fazendo das tripas coração – e vendendo! Tem gente chamando urubu de compadre pra dar remorso. Tem gente afiando a unha do mindinho pra não gastar com palito. Tem gente se pintando de verde pra ser comprado na Cobal. Tem gente tentando se fingir de rico pra ganhar subsídio, isenção fiscal, cheque especial, cartão de cortesia, *up-grade*, amostra grátis, desconto e financiamento do BNDES com juro baixo, mas não conseguindo, a manga puída põe tudo a perder. Tem gente se agarrando a poste para não cair na escala social e seqüestrando elevador para subir na vida. Tem gente oferecendo o apêndice para transplante. Tem gente comprando tinta para retocar a radiografia porque não pode comprar remédio. Tem gente tentando matar cachorro a grito, não conseguindo, e tendo que fugir do cachorro irritado. Tem gente, enfim, fazendo de tudo.

Esse é o problema do Brasil. Gente demais. Gente confusa, gente perdida, gente doente, gente diferente. O governo faz o que pode mas não consegue solucionar o problema e reduzir nossa população só a banqueiros, por exemplo, o que melhoraria nossa posição no *ranking* da ONU consideravelmente. É a nossa diferença do Canadá. Lá tem canadenses, e poucos; aqui tem gente estranha, e demais. Por outro lado, não há notícia de um canadense que tenha matado um tubarão a soco.

FIM DE UMA ERA

Gostamos de ler a História como uma narrativa literária, pontuada por cenas simbólicas e epifanias – e se forem desastres, melhor ainda. Tipo "a Idade Clássica terminou no incêndio da biblioteca de Alexandria" ou "o século 19 acabou mesmo com o naufrágio do *Titanic*". Vivemos atrás do significado maior de qualquer coisa que resuma uma época ou uma quebra na narrativa, seja a dança da bundinha ou o baile da Ilha Fiscal. (Tenho um amigo que data o começo da confusão de valores dos nossos dias da primeira vez que o papa posou com um cocar de índio na cabeça.)

Os leitores do futuro talvez elejam como um destes momentos maiores do que se pensava a aprovação no Senado do fim de boa parte dos compromissos sociais nos nossos contratos de trabalho, há poucos dias. Dirão que foi um momento histórico porque – assim como o século 19 já tinha cronologicamente acabado 12 anos antes do *Titanic* levar todos os seus mitos para o fundo – só então, mais de quarenta anos depois do suicídio de Getúlio, a Era Vargas acabou mesmo no Brasil. Algum maldoso pode sugerir que a votação foi histórica, também, porque assegurou ao presidente da República o único cumprimento integral, até ali, de uma das suas promessas de campanha.

No futuro observarão que acabaram com o melhor legado da Era Vargas, apesar dos seus defeitos paternalistas e das suas deturpações, que era a legislação social, retocada pela Constituição de 88, enquanto triunfava no país o pior exemplo da Era Vargas, o estilo de governar pela manipulação de opostos e alianças heterodoxas, que na má imitação virou pseudo-esperteza e rendição à oligarquia. Até a tirania da simpatia sob a qual vivemos com o Éfe Agá é parecida com a de Vargas. Felizmente, as semelhanças terminam aí e Éfe Agá não parece sofrer de nenhuma tentação totalitária. Salvo na forma branda do continuísmo.

BARBADA

O que assusta nessa marcha resoluta da modernidade rumo ao século 19 não é a sua crueza. Se a leitura de pensadores de esquerda como Fernando Henrique Cardoso etc. nos ensinou alguma coisa, é a não esperar qualquer tipo de hesitação altruísta do capital: ele avança e recua segundo as suas conveniências e a moral da sobrevivência, ou a simples moral da selva. O fato de o capital aproveitar a hora para revassalar o trabalho não deve surpreender ninguém, ele está apenas sendo ele mesmo e reconquistando o que foi obrigado a dar quando o conveniente era isso. Assustadora é a escassa resistência que encontra, é a dissolução de anos de conquistas sociais dos trabalhadores estar sendo essa sopa, essa barbada.

Do trabalho organizado, acuado pelo desemprego e desunido, não se podia esperar mais do que o pouco barulho que fez. Foi na votação da "flexibilização" das leis trabalhistas no Congresso que o desamparo do trabalhador brasileiro, seu ralo poder político mesmo depois de tantos anos de industrialização, ficou desanimadoramente claro. Os bons discursos foram dos defensores do trabalho, mas a vitória foi da maioria patronal. Mesmo resignados ao perfil conservador, ao predomínio dos interesses empresariais e rurais e à sub-representação da maioria urbana no Congresso, podíamos esperar outro espetáculo. Pelo menos o reconhecimento de que cediam a uma chantagem. Pelo menos um escore mais apertado.

A alegação de que estavam votando contra o desemprego e, portanto, pelo trabalhador não cola. Está provado que o custo social do emprego é irrelevante quando o problema, no Brasil, é do financiamento caro e do mercado restrito. O mesmo tipo de "flexibilização" para diminuir o desemprego foi tentado na Espanha e deu tão errado que o governo – de direita – está tentando desfazê-la. Estas informações os congressistas tinham e, mesmo assim, preferiram ser cúmplices da chantagem, e de goleada. Foi um voto prepotente contra o lado politicamente mais fraco. E no Brasil, incrivelmente, o lado politicamente mais fraco é a maioria da população.

BANANAS

Banana. S.f. O fruto da bananeira, do tipo carpológico anômalo.

Banana republic. Nome dado a certos países, principalmente na América Central, cujas plantações de frutas abasteciam o mercado norte-americano através de grandes empresas americanas que dominavam sua vida política e econômica. Foi para garantir o suprimento de bananas da United Fruit Company que o governo americano interveio na Guatemala e derrubou, a tiros, um presidente democraticamente eleito que falava em reforma agrária. Repúblicas bananas eram países latino-americanos que viviam exclusivamente da sua condição de exportadores, geralmente de uma monocultura, para mercados do Norte e ficou sendo o apelido de qualquer país miserável, governado por oligarquias corrompidas e subservientes aos interesses externos e ao capital internacional. Isso, claro, antigamente, não hoje, quando todo mundo é globalizado e igual. As *bananas republics* normalmente eram pequenas, mas nada impede que haja uma grande, uma *banana-da-terra republic*.

Banana, preço de. Parâmetro usado no Brasil para preço baixo, pequeno, vil, subavaliado, ridículo, vem cá, assim também não, péra um pouquinho e muito, muito suspeito. Ver Ai, ai, ai e Telebrás.

Banana. No Brasil, nome dado a pessoa palerma, frouxa, sem iniciativa, que não reage, que se deixa enganar. Existem os bananas por omissão, que não sabiam de nada, aos quais ninguém perguntou nada e que não podem fazer nada, os bananas ativos, que acham que estão fazendo um bom negócio e os falsos bananas, que, você pode ter certeza, estão fazendo um bom negócio só que nós não ficamos sabendo qual. Dizem que, na linguagem cifrada usada pelas consultorias internacionais que investigam as melhores opções de dinheiro fácil pelo mundo, o Brasil é conhecido como "Carpológico anômalo".

AS BOLSAS SOB OS OLHOS E A REPÚBLICA

Nada contra a operação plástica, a pintura dos cabelos e as outras formas que toma a eterna luta do Homem contra a Natureza. Acho até que mulheres e homens evidentes têm a obrigação de cuidar da sua imagem como se ela fosse uma obra de arte aberta ao público. Isso não exclui o restauro e o eventual retoque, e o que vale para a Capela Sistina, vale para o Brizola. O que preocupa é que o hábito da reparação cosmética, principalmente entre os homens, e principalmente entre os políticos, pode estar sinalizando uma mudança de valores. Podemos estar entrando numa era em que cabelos brancos não significarão mais experiência, sabedoria e autoridade hierárquica – significarão apenas que faltou tintura. Rugas honestamente conquistadas não atrairão mais admiração e respeito – atrairão, talvez, cartões sub-reptícios com o nome de um cirurgião plástico barato e a sugestão "dá uma esticadinha" cochichada como se fosse um aviso de braguilha aberta. Políticos mais velhos e vividos não mostrarão o caminho para os mais moços, os mais velhos e vividos irão atrás para ninguém ver que seu cabelo é implantado.

Mais grave é a questão das bolsas sob os olhos. Sabe-se pouco sobre a função biológica das bolsas sob os olhos. A opinião convencional é que se trata simplesmente de tecido subcutâneo que se acumula sob os olhos das pessoas com a idade, em maior ou menor volume, dependendo da pessoa. Mas pode haver uma ligação das bolsas sob os olhos com o discernimento e outras funções cerebrais. Evidências não faltam. Pense no efeito da retirada das bolsas sob os olhos no comportamento de pessoas que você conhece. Poucos dias depois de operar as bolsas sob os olhos, Éfe Agá decidiu-se pela reeleição. Cid Moreira retirou suas bolsas sob os olhos e na mesma semana posou para a *Caras* ensaboado, dentro de uma banheira. Depois revelou que não sabia como fora parar lá. Tente se lembrar como era o Serra, ativo e opiniático, antes de tirar as bolsas sob os olhos e compare com o Serra apático de hoje. Estamos brincando com o desconhecido. Os estragos causados pela extinção das bolsas sob os olhos de políticos, na história da República, talvez só sejam conhecidos em toda a sua extensão quando não adiantar mais nada.

ADEVOLVAM

A bola escapou do controle do garoto e veio na minha direção. O garoto não pediu, ordenou:

– Devolve!

A mãe do garoto sacudiu a cabeça e perguntou se aquilo era jeito de falar. O garoto então se corrigiu:

– Adevolve!

Por alguma razão, achou que, acrescentando um *a* no começo da palavra, o pedido ficava mais educado.

Me lembrei da história pensando nessas manifestações de inconformidade com o que estão fazendo com o que é nosso – da CNBB, da OAB etc. Seriam a história do garoto ao contrário: estão primeiro pedindo educadamente para que nos adevolvam o Brasil. Não dá para imaginar como será quando acabar a educação, quando uma sociedade desesperada exigir o fim da incompetência criminosa que lhe sonega saúde, segurança, educação e emprego para dar lucro a banco e garantia a especulador, quando "devolvam!" virar um grito de guerra. O Brasil sempre foi de uma minoria autoperpetuada mas nunca, no passado, a maioria teve uma noção tão nítida do seu banimento interno, do seu exílio sem sair do lugar. O neoliberalismo triunfante, além da revolução semântica que transformou insensibilidade social em virtude empresarial, trouxe uma espécie de redenção histórica para o nosso patriciado. Foi para imitarem os estrangeiros e não serem chamados de retrógrados que eles foram obrigados a abolir a escravatura. Agora não há nada mais moderno.

Não era pecado! E não parecem ter o menor temor de que o que não adevolverem por bem terão que devolver por mal.

VICIADOS

O presidente se enganou quando disse que o brasileiro tem a obsessão de não trabalhar. O que atrapalha no Brasil é a obsessão que as pessoas têm por trabalhar. Uma decorrência da absurda mania de comer e do vício de sobreviver. Este seria um país muito melhor se mais pessoas se convencessem da impossibilidade de manter o seu vício de viver com o que ganham, e desistissem. Não só resolveriam seus problemas existenciais, não existindo, como nos poupariam do feio espetáculo público da sua degradação moral e física, causada pelo hábito de respirar sem ter os meios para sustentá-lo. Não se pode virar uma esquina no Brasil sem dar com um desses dependentes químicos sem fundos, transformados em trapos humanos. É o vício do oxigênio que os torna obsessivos e impertinentes. São eles os responsáveis pelos índices de criminalidade e miséria, e pelo tamanho das filas para qualquer emprego, que nos envergonham no exterior. Tudo porque simplesmente não tiveram a força de vontade para controlar sua obsessão e largar a vida quando podiam.

Está certo – em todos os casos, o hábito é antigo e hereditário. São filhos de obcecados em respirar que se criaram entre outros obcecados, sofrendo a má influência do meio. Mas todos nós temos a possibilidade da escolha. Há muitos casos inspiradores de pessoas que renunciaram ao oxigênio e pararam de respirar voluntariamente, ou para buscarem um futuro melhor num ambiente eternamente desintoxicado, ou por uma questão elementar de decência e patriotismo. A vida é como a cocaína. Os ricos têm um suprimento constante de vida da melhor qualidade, um barato constante, sem contra-indicações ou culpa. Porque podem comprar, ou são subsidiados. Já os pobres têm que se contentar com a vida em forma de *crack* inferior, muitas vezes adulterada, um simulacro anti-higiênico e perigoso da vida autêntica. E, mesmo assim, a procura é enorme, e cresce sem parar.

Só a obsessão explica a irracionalidade.

O VALE-TUDO

As explicações conhecidas sobre a diferença entre a atenção dada à vida privada, principalmente a sexual, de políticos no mundo anglo-saxão e no mundo latino já se transformaram em clichês. As tradições puritana e vitoriana deles e a nossa cultura machista etc. O fato é que escândalos sexuais ameaçam governos e acabam com carreiras políticas nos Estados Unidos e na Grã-Bretanha, enquanto aqui não há notícia de um mau passo na vida privada que tenha prejudicado alguém na vida pública – ou que tenha sequer virado notícia. É um tipo de munição que não é usado nem nas campanhas eleitorais, nem em desespero. Uma exceção notória foi o modo abjeto como exploraram a ex-mulher do Lula na campanha de 89. Não se sabe exatamente qual foi o efeito daquilo. Teria prejudicado o Lula, na medida em que o magoou e desanimou, mas a revolta com o outro lado foi grande. Justamente porque era uma aberração nos nossos costumes políticos – e ainda não se sabia das outras aberrações que viriam com o Collor. Copiamos tudo da política americana, do presidencialismo imperial ao *jingle*, mas felizmente ainda não copiamos a sua maneira de derrubar políticos, com balas ou com mexerico moralista.

A atual campanha não deve romper esse acordo tácito entre os políticos brasileiros de não-agressão abaixo da divisão entre o público e o privado, a não ser que a notícia sobre as finanças do Lula seja um sinal de que vai valer tudo e, neste caso, não faltam esqueletos no armário do outro lado. Será interessante ver como se comportará a imprensa, pois é nela – através da denúncia, da notícia plantada, do assunto tabu que deixa de ser, da investigação pra valer ou apenas até onde for conveniente – que o vale-tudo se desenrola. Para o bem da nossa saúde política, seria bom que o pacto de não-proliferação do estilo americano entre nós fosse renovado por todos os lados.

SINTONIA FINA

Os políticos migram desse jeito porque os partidos são fracos ou os partidos não significam nada porque político brasileiro costuma trocar convicção por conveniência? Nenhum outro país do mundo, acho eu, oferece a políticos e eleitores uma sintonia tão fina em matéria de opção partidária. É só você decidir se é de meia esquerda, um quarto de esquerda, três quartos de esquerda, direita dissimulada, direita responsável ou direita Gengis Khan, e há um partido pronto para você no Brasil. E, não sei se apesar disso ou por causa disso, as pessoas mudam de partido como quem muda de cueca, e sem a desculpa da higiene. Se ainda mudassem alguns graus para lá e para cá... Mas não, mudam da Arena para o PC, ou seus sucedâneos, sem pensar no efeito que estão tendo nas crianças.

AINDA NÃO

Se um progressista é um reacionário que ainda não foi assaltado, então...

Um cavalheiro é um troglodita que ainda não chegou no último camarão do bufê.

Um moralista é um tarado que ainda não ficou preso no elevador com a Carla Perez.

Um ateu é um crente que ainda não jogou na sena acumulada.

Um racional é um supersticioso que ainda não chegou embaixo da escada.

Um situacionista é um revolucionário que ainda não entrou num ambulatório de hospital público.

Um capitalista neoliberal é um socialista que ainda não perdeu tudo na Bolsa.

Um tucano é um pefelista que ainda não chegou no governo.

ESTRANHOS NA PRATELEIRA

A propaganda eleitoral na TV para os partidos com mais espaço e dinheiro está boa, mas parece não existir maneira de os outros darem outra mensagem que não seja a de que a política é uma coisa esquisita. Sem direção, roteiro e, principalmente tempo, os partidos pequenos não têm como escapar do folclórico e do ridículo. O resultado é este paradoxo: nos períodos eleitorais a democracia tem a sua melhor e a sua pior hora – dá vexame, mas no horário nobre. O contraste entre o que o público está acostumado a ver na publicidade comercial e é obrigado a ver na propaganda política sem recursos é tão grande que até parece encomendado: político é aquele cara deslocado no universo de imagens bonitas e fala mansa da propaganda na TV como um indigente no supermercado. É um invasor de outra cultura, onde a arte de vender em trinta segundos ainda não chegou. Não domina a linguagem que nos embala, a da persuasão e do engodo amoroso. Não nos diz nada, por mais que grite. Seu lugar é mesmo em Brasília, aquela outra cultura que não tem nada a ver conosco, longe das nossas novelas.

A boa propaganda política é a que pode diminuir esse contraste entre a persuasão do consumo com arte, ou pelo menos com técnica, a que a TV nos condicionou, e a pregação eleitoral, que é sempre feita por amadores, com exceção daquele artista previamente conhecido como príncipe, o Éfe Agá. Isso se faz na linguagem, o conteúdo vem depois. A publicidade na TV e o supermercado são os dois espaços de convívio mais moderno do brasileiro, mesmo que ele não compre nada. É onde ele consome, antes de qualquer outra coisa, o ambiente e a aparência de fartura. Quando se diz que um candidato pode e deve ser vendido como um produto, o que se está dizendo é que ele deve ser embalado para não destoar nestes dois ambientes, para não ser um grotesco na tela ou na prateleira. Os partidos sem tempo nem entram. Ficam na rua, como camelôs.

FORA ISSO

Dizem que, no velório do Kennedy, uma senhora da sociedade de Washington viu-se ao lado da viúva e, querendo puxar conversa para distraí-la e não sabendo como começar, indicou com o queixo o caixão do presidente assassinado e perguntou:

– Fora isso, Mrs. Kennedy, o que a senhora achou de Dallas?

Estava querendo ser simpática, apenas não calculou bem o assunto e a ocasião. O fato é que se conseguirmos suprimir os detalhes que nos impedem de ser isentos, podemos ser objetivos e positivos sobre qualquer coisa. A guerra na Iugoslávia, por exemplo. Fora o bombardeio impiedoso de um país por outros sem uma declaração formal de guerra e as razões hipócritas para fazê-lo, as milhares de mortes (intencionais ou como efeitos colaterais) de gente que não tinha nada a ver com a história, o legado de ódio e retaliações, sem falar de minas e bombas ainda por explodir que envenenarão a região por mais algumas gerações e a desmoralização completa da diplomacia e das Nações Unidas, foi uma boa guerra. Inclusive para os negócios. Já vi uma reportagem na CNN sobre as firmas americanas que se apressam a apresentar suas propostas, "bidar", como dizem nas conversas gravadas do BNDES, para reconstruir o Kosovo.

Dinheiro de organismos internacionais não faltará. Talvez as empresas que forneceram armas usadas na destruição tenham preferência para lucrar com a reconstrução, o que seria apenas justo.

No Brasil há desemprego crescente, saúde pública calamitosa, ensino público ameaçado, patrimônio público doado, indústria desnacionalizada, clientelismo explicitado e corrupção deslavada. Mas fora isso... O FMI está contente com as nossas contas, você não vê ninguém do mercado financeiro se queixando – e o que tem de gente com celular novo! Quer dizer, pessoal, vamos tentar ser um pouco menos emocionais.

UMA CERTA LÓGICA

Ninguém suspende a condição de brasileiro quando viaja assim como quem suspende uma assinatura de jornal. Mas a distância e a desinformação nos tornam brasileiros assíncronos, se é que existe a palavra.

Ou seja: na volta, depois de um mês fora, continuamos tão brasileiros como antes, mas brasileiros com um mês de atraso. Todos à nossa volta têm um mês a mais de convívio diário com o Brasil do que nós, que precisamos de algum tempo para nos ressintonizarmos. E não há pior estrangeiro do que um brasileiro desatualizado.

Reagi à notícia de que o *Diário Oficial da União* tinha publicado editais falsos como um desses estrangeiros temporários. Acho até que disse algo como "*mais, c'est affreux!*" e meditei sobre a impossibilidade de uma civilização nos trópicos. Depois de uma noite de sono para recuperar o atraso, no entanto, já comecei a ver a coisa mais brasileiramente e hoje acho que há uma certa lógica na invasão do *Diário Oficial* pela ficção e na suspeita, também natural, de que grande parte do que sai no *Diário Oficial* é brincadeira que só não foi descoberta.

Não convence a explicação de que os editais falsos passaram porque, quando devia estar prestando atenção no que sai no *Diário*

Oficial, o Clóvis Carvalho estava tratando com a FAB do seu fim de ano em Cancún. A coisa pode não ser apenas mais uma confusão típica do governo Éfe Agá. Uma leitura retroativa do *Diário Oficial* pode revelar absurdos ainda maiores, através dos anos e das administrações, e só não se recomenda porque poderia levar à anulação de boa parte da História do Brasil. Teríamos que fazer tudo de novo! Melhor não mexer nesse assunto. Acho até mais seguro fazer a tal festa, pagar o cachê da Elba Ramalho e fingir que nada foi descoberto. Para preservar um mínimo de simulacro de imitação de treinamento de seriedade.

O PUMA NO MEIO DA SALA

Millôr tem uma peça – nunca, que eu saiba, encenada – que termina num país alternativo: o Brasil se as bombas do Riocentro tivessem explodido como planejado. Um Brasil que poderia ter sido, e que por pouco não foi. A intenção das bombas era criar o pânico, matar pelo pânico. Centenas teriam morrido no Riocentro. As bombas fariam parte de uma ação coordenada, o caos também seria semeado em outros pontos do Rio, ao mesmo tempo, se elas não tivessem explodido antes do tempo, no colo do terror. Os atentados seriam atribuídos aos comunistas, a "abertura" em curso seria suspensa, a direita militar furiosa tomaria conta e se seguiria um jacartaço. Na peça do Millôr, esse Brasil terrível engolfava os personagens, entrávamos num Brasil de selvageria inédita, um Brasil desatinado para o qual nada, nem a pior violência do passado, nos preparara – e do qual nada nos redimiria.

Mas, quando começou o inquérito do Riocentro, outro Brasil alternativo se apresentou, quase tão inimaginável quanto o da fantasia do Millôr. Um Brasil fictício em que nada acontecera! Homens adultos e respeitáveis propuseram e aceitaram a tese de que as bombas eram mesmo da esquerda, que o Exército não tinha nada a explicar e que o assunto estava encerrado. Foi nesta ficção que nenhum autor assinaria para não passar por improvável, mesmo que escolhesse contá-la como farsa, que vivemos nos últimos 18 anos. Passamos 18 anos com um Puma fumegante no meio da sala fingindo que ele não estava ali, ou usando como mesa de centro.

Em 18 anos um Puma fumegante inexplicado no meio da sala se transforma em muitas coisas. De embaraço passa a hábito, de hábito passa a parâmetro e, quando você vê, nada mais (os votos comprados para a reeleição do Éfe Agá, por exemplo) precisa ser muito explicado, no país do finge que não aconteceu. Pelo menos agora reconheceram que tem um Puma fumegante no meio da sala.

O ACASO

Eu vou começar pela mariposa mas já chego no Itamar. Darwin mostrou como o acaso é importante na evolução das espécies. Um acidente genético pode determinar que uma linhagem biológica desenvolva características que a ajudem a sobreviver, como no clássico caso das mariposas cinzentas no norte da Inglaterra. Só as mariposas cinzentas sobreviveram à industrialização da região, porque ficavam invisíveis contra a fuligem espalhada por tudo pelas sombrias e satânicas usinas da época e não eram comidas pelos pássaros, como suas irmãs de outra cor. Hoje só existem mariposas cinzentas no norte da Inglaterra. O fortuito comanda as nossas vidas tanto quanto o destino das mariposas, a não ser que você acredite que tudo já esteja escrito nas estrelas. Mesmo quem não aceita Darwin não escapa da história acidental. Adão podia ter recusado a fruta da Eva e, nesse caso, nós todos ainda estaríamos no paraíso, sem roupa e sem impostos.

O diabo com a teoria do acaso é que a História fica reduzida a um eterno encadeamento de escolhas arbitrárias, acasos nascendo de acasos até o primeiro e definitivo "se" – se o Universo não existisse, nada disto importaria e nós não precisaríamos estar aqui perdendo tempo. Se Collor não tivesse escolhido Itamar como vice-presidente, o Éfe Agá não estaria se incomodando com ele hoje; mas se Itamar não tivesse substituído Collor na Presidência, o Éfe Agá provavelmente ainda estaria no Senado fazendo discursos de esquerda. E nunca é demais lembrar que, se tivesse valido a preferência do Itamar para ministro da Fazenda no seu governo, o pai do Plano Real e, portanto, presidente da República, hoje, seria o Eliseu Rezende – e ele é que estaria se incomodando com o Itamar.

Feliz é a mariposa cinzenta, que só sabe que está viva, não quer nem saber por quê.

CASA DE POBRE

Alguns adágios populares são obscuros. Eu nunca entendi o significado de "o que é do homem, o bicho não come", por exemplo. O que não me impediu de concordar solenemente sempre que ouvi a frase. Afinal, se ela foi repetida e comprovada através do tempo, a ponto de se transformar num adágio, é porque alguma verdade deve ter.

Outros adágios são de uma sabedoria certeira, tão perfeitos que – como algumas anedotas – tentam a gente a investigar sua origem, para homenagear seu criador. Que grande observador do mundo teria bolado a frase "pra baixo todo santo ajuda"? É o comentário mais devastadoramente irônico jamais feito sobre a circunstância humana, a fé religiosa e a intervenção da metafísica em nossas vidas, sem falar no abjeto oportunismo dos santos que só nos acodem nas boas. A vida está cheia de gente assim, de solidários só no declive.

E alguns adágios são cruéis na sua precisão sintética. Se bem que o que melhor se adapta ao caso do Itamar, da dívida dos estados e da penúria generalizada – "em casa de pobre todos gritam e ninguém tem razão" – devia ser alterado para ficar ainda mais exato e terrível. Em casa de pobre todos gritam e todos têm razão. O Itamar reduziu a questão do momento no Brasil e no mundo a poucas palavras, como um bom adagista: não se paga dívida com a fome de ninguém. E por todas as razões políticas, econômicas, estratégicas e etcétera imagináveis, o governo central não pode deixar que uma rebelião dessas prospere. O pior é que, com razão ou sem razão, a gritaria entre os pobres não faz a menor diferença na sua situação. Só assusta a vizinhança.

Enfim, resta a certeza de que o que é nosso não é para consumo animal, o que já é um consolo. Seja lá o que for.

ÀS FAVAS

Nem o Delfim Netto, nem o Roberto Campos, nem o ACM, nem qualquer dos pró-homens daquele tempo aprovariam a tortura e os excessos da repressão se tivessem lhes perguntado, e pode-se concluir que os escrúpulos de consciência que o então ministro Passarinho mandou às favas voltaram das favas a tempo de salvar sua biografia. Dizem que a gente vive para a frente mas compreende para trás, e é impossível alguém fazer e, ao mesmo tempo, saber o que está fazendo, dentro de um contexto amplo, numa perspectiva histórica, do ponto de vista da eternidade – ainda mais quando não se dá conta de que estão gravando. Compreender para trás é também racionalizar, e todos tinham razões convincentes para fazer o que fizeram, ou pelo menos, se convenceram de que tinham. E compreender para trás é também desculpar. Não há por que ficar discutindo, agora, sobre sangue derramado há tanto tempo. Nenhum deles torturou pessoalmente ninguém. Nem metaforicamente, com maus discursos, por exemplo, já que todos falavam muito bem. E você não pode deixar de simpatizar com o entusiasmo do Delfim pelo AI-5, como está gravado. Ali estava um homem com um plano econômico, convencido de que o seu plano era o melhor para o país, e com a oportunidade de pô-lo em prática sem ser atrapalhado por qualquer formalismo democrático. Sem oposição, sem precisar se explicar a críticos errados, sem depender da aprovação de congressistas atrasados, um sonho. O sonho inconfessado de toda mente aristocrática impaciente com a ética dos meios, quando o fim é tão mais importante. Ali estava o Delfim, com a faca numa mão e o queijo na outra, e licença para ser aético à vontade. Depois, como estamos no Brasil, todos puderam ir às favas catar seus escrúpulos, reconstruir suas consciências e ter uma longa e proveitosa vida pública.

PARA O QUE SERVE

A versão do Collor para sua queda não interessa muito, com todo o respeito ao seu direito de publicá-la. Só o que interessaria nela seria o que não tem importância: o detalhe pessoal, a curiosidade de bastidor, a fofoca – nada mais humano. Mas Collor escrevendo também é uma pose. Sem o toque redentor de banalidades bem observadas ou de sentimento no texto, sobram os fatos. E os fatos são apenas os fatos vistos da pose. Ele nem precisa mentir para condenar o que lhe fizeram, basta selecionar as verdades e omitir o principal: o propinato paralelo montado no seu governo que, se não tivesse sido interrompido, quebraria algum recorde mundial de rapinagem, e que foi o que o derrubou, independentemente de conspirações reais ou imaginadas. Não sei se num capítulo da sua versão Collor falará de P. C. Faria ou se esquecerá o assunto. Se esquecer o assunto, não estará fazendo mais do que fez o Brasil, este estranho país de corruptos sem corruptores. Já que não tem valor literário ou sentimental nem é confiável como documento histórico, a versão do Collor poderia, ao menos, servir para lembrar: e os corruptores? Que fim levaram os corruptores? Mas nem pra isso vai servir, se eu conheço o Brasil.

Volta e meia ainda falam em exumar o caso do PC e da sua namorada, mas a natimorta CPI dos corruptores, reclamada por alguns inocentes do Congresso depois da CPI do PC, ninguém pensa em desenterrar mais. Alguns dos mais respeitáveis empresários do Brasil pagaram milhões à empresa do P. C. Faria para fazer nada, sabendo que estavam comprando a atenção do governo. O PC foi silenciado, os empresários não querem falar em coisas tão antigas e desagradáveis, o Congresso tem mais o que fazer e o Collor só está interessado em se queixar que era o Messias e nós não o reconhecemos. Assunto encerrado.

O DEUS DAS CAMPANHAS

Não existem ateus em trincheiras, aviões passando por turbulência e campanhas eleitorais. O voto religioso é tão importante que estimula a piedade em todas as almas candidatas, e como saber se ela é sincera ou não? Pode não ser verdade que o Éfe Agá sempre acreditou em Deus, como declarou há pouco no Nordeste – um dia ele disse que não acreditava – mas não há por que duvidar de uma conversão. A dele tem sido uma história de conversões e, para quem já aceitou o neoliberalismo, o ACM e a buchada de bode, a metafísica não parece uma adesão tão radical assim.

O PT deve muito da sua história à Igreja e não há notícia de que Lula tenha, alguma vez, tido uma crise de fé. Mas no outro dia ele quis fazer uma frase sobre Deus e acabou deixando-O mal. A frase era que Deus era grande e ainda não tinha sido privatizado, mas foi mal usada e ficou parecendo que se devia dar graças a Deus porque o desemprego, que é o efeito mais politicamente explorável do modelo econômico que quer se reeleger, está aumentando. Foi uma bobagem que não deve ter afetado as relações de Lula com Deus mas ficou claro que, se Ele quer ajudar, devia começar fornecendo piadas melhores ao candidato, ou indicando alguém que o faça.

A política de Deus é uma controvérsia antiga. Como os capelães militares antes de uma batalha, tentando convencer as tropas de cada lado que Deus lhes dará a vitória, os candidatos que invocam a Providência Divina devem pressupor que Deus tem as suas convicções, ou, pelo menos, concorda com as linhas gerais do seu programa. Deus é pelo livre mercado, que, segundo seus exegetas, é a representação econômica do estado natural, ou é de esquerda? Deus aprova as privatizações sem restrição ("Deus está no ágio", já ouvi dizerem) ou acha, como brasileiro, ou no mínimo simpatizante, que elas estão sendo precipitadas? Deus levará em conta que a adesão do Éfe Agá é recente e, possivelmente, interesseira, enquanto Lula é um companheiro antigo, ou tratará os dois da mesma forma?

E se Deus for Enéas?

SINUCA

Num mundo lógico, ou pelo menos num mundo mais simples, a política obedeceria à dinâmica elementar de uma mesa de sinuca: uma causa só pode ter um efeito – se tiver outro, ou é erro ou é metafísica. No país mais desigual do planeta, todas as outras coisas menos a renda sendo iguais, um candidato como o Lula jamais perderia para um candidato como o Éfe Agá, o que dirá para um candidato como o Collor. Mas o mundo, infelizmente, não é simples: no Brasil a política mais parece um estratagema para prevenir contra a lógica, e na caçapa das ilusões desapareceram o Lula e seu suposto eleitorado natural, a maioria. Que teve três oportunidades em dez anos para votar em si mesma e não votou. Em vez de votar na sua realidade, votou na metafísica dos outros.

Não era a hora, claro. Todo diagnóstico que se fizer do fenômeno Lula deve começar pela intempestividade. A grande perversidade do mundo é que as sociedades muito desiguais não criam maiorias irresistíveis de despossuídos que acabam no poder, de um jeito ou de outro, pela lógica simples do desespero. Criam minorias cada vez mais entendidas em sobrevivência. Toda a história da democracia no Brasil é a história da educação da nossa elite na arte de não mudar nada, ou só mudar o suficiente para não perder o controle. Para a maioria, uma democracia formal sem uma democracia social e econômica correspondente acaba sendo apenas um aprendizado em frustrações. Mas o caminho é esse: repetir e repetir até que, um dia, a maioria também aprenda a força que tem. O problema do Lula foi que ele apareceu antes do seu tempo. Foram para a final antes de disputarem as preliminares. Já foram para a decisão com a bola sete. Num jogo contra os donos da mesa, com as regras e os tacos da casa – e com toda a canalha botando dinheiro no adversário. Encaçapado três vezes, só podia.

O PIOR CRIME

Os sem-terra cometeram vários crimes que justificam sua execução sumária. O primeiro foi o de existir. Este podia ser classificado como um crime menor, quase uma contravenção. Seria uma inconveniência tolerável, se não passasse disso. Mas quando, não contentes em existir, os sem-terra começaram a existir em grande número, a coisa tornou-se grave. Alguns não só existiam como se manifestavam. Outros foram ainda mais longe: se transformaram em vítimas. Morreram, num claro desafio à ordem estabelecida. Em muitos casos, de tocaia, só para aparecer mais. Finalmente, deixaram para trás qualquer escrúpulo e cometeram um crime imperdoável: se organizaram. São justificados os protestos contra mais esta afronta. Organizando-se, os sem-terra mudaram as regras do jogo, demonstrando – além de tudo – falta de esportividade. Eram regras antigas, combinadas e aceitas por todos. Organizando-se, os sem-terra pisotearam uma tradição brasileira de *fair play*, que é o termo inglês para "não esquenta que depois a gente vê isso". Enquanto não estavam organizados, era fácil enfrentá-los, controlá-los e derrotá-los – ou pedir calma, que era quase a mesma coisa. Organizados, eles ganharam uma força inédita capaz até de – nada detém a audácia desses marginais! – dar resultado.

Mas o pior crime dos sem-terra é o literalismo. Sua perigosa adesão ao pé da letra, sua subversiva pretensão que a prática siga a teoria. É um crime hediondo, pois coage as pessoas a serem fiéis à sua própria retórica, o que no Brasil é antinatural. Como se sabe, todos no Brasil são a favor da reforma agrária. Fala-se em reforma agrária há gerações. Na saída da primeira missa, o assunto já era a reforma agrária, e ninguém era contra. E vêm esses selvagens destruir todo um passado de boas intenções e melhores frases, querendo que nobre tese vire reles fato e princípio intelectual vire terra e adubo. E ainda pedindo pressa.

Jagunço neles.

CONTRIÇÃO

A Igreja pediu desculpas aos judeus por sua omissão quando eles eram perseguidos pelos nazistas, Clinton pediu desculpas aos africanos pela escravidão. O problema com expiações históricas deste tipo é que elas sempre vêm tarde. Um remorso mais rápido significaria reparações a quem interessa e exemplos aproveitáveis. E o ideal, claro, o que salvaria a humanidade de tantas crises de consciência, seria o arrependimento preventivo. Mas como o remorso antes do fato é impossível e o remorso imediato é inconveniente, contentemo-nos com a contrição quando não adianta mais nada.

Um cínico poderia dizer que o arrependimento é a última utilidade de um crime, depois que todas as suas razões práticas acabaram. Assim, depois de conviver com a barbárie nazista por razões estratégicas, o Vaticano ainda pode tirar um gesto bonito da sua própria mancada histórica e, meio século depois, entregar-se ao prazer da contrição. A vergonha pela escravidão é sincera desde os primeiros abolicionistas, mas as razões morais para acabar com ela só venceram quando as razões econômicas para mantê-la caducaram, e a mesma classe que lucrou com a escravatura fez a literatura sentimental da sua condenação. Os senhores do mundo gozam duas vezes, com o crime e com a sua expiação. As vítimas só fazem figuração neste teatro de penitências.

Os responsáveis pelos excessos do regime militar brasileiro nos farão esperar mais de meio século por qualquer gesto de contrição, e então ela só servirá para recontar a nossa história. Será um proveito mínimo, mas importante. Até lá, a história oficial do atentado no Riocentro, por exemplo, será a mentira militar e – como se viu na defesa da nomeação do general Fayad, como se estivessem defendendo a corporação de infâmias – a história dos excessos militares será que eles não aconteceram, ou aconteceram mas não desonraram ninguém.

PILHAGEM

"Pagar a dívida social" é uma daquelas frases de palanque que nunca passam da retórica para a prática. Como a reforma agrária, que todo mundo apóia desde que ela não seja feita, o resgate da dívida social é uma figura de discurso que perde muito na tradução para fato. Somos, teoricamente, a sociedade mais bem-intencionada do mundo. A tal de prática é que nos atrapalha. O empresariado brasileiro, por exemplo, fica teoricamente cada vez mais moderno e esclarecido e continua não reconhecendo seu papel nem na acumulação da dívida social nem na sua quitação.

A construção simultânea da oitava economia e da sociedade mais desigual do planeta só pode ser vista como um processo de pilhagem. O Brasil é pilhado por sua elite econômica há gerações. Por mais justas que sejam as queixas contra os absurdos que atrapalham o empreendimento brasileiro, existe um Custo Empresa, que o Brasil paga há anos, muito mais escandaloso do que o Custo Brasil de que reclamam os empresários. Não é só o sumidouro do mercado financeiro e a sonegação de impostos: é tudo que a economia brasileira produziu enquanto conquistava seu *ranking* e foi negado ao país pela subtributação e o privilégio fiscal. Apesar da gritaria, o empresário brasileiro é dos menos exigidos do mundo na hora de passar parte do seu resultado para a sociedade que o cerca. E, quando se incluem no execrado Custo Brasil os benefícios sociais que mal compensam a precariedade da assistência oferecida pelo poder público, justamente por culpa da sonegação legal, estamos muito perto do escárnio. Não faz muito, com a discussão da tributação das terras improdutivas, ficou-se sabendo o que pagavam de impostos os grandes proprietários rurais pelos grandes nacos de Brasil que são deles. Quase nada. E de cara feia. Usando a ameaça do desemprego em massa como argumento de chantagem, o governo dos patrões fez passar pelo Congresso medidas de "flexibilização" do mercado de trabalho que não deram certo em nenhum outro lugar e cujo verdadeiro motivo, depois de varrida a retórica bem-intencionada, era diminuir a responsabilidade social do capital e aumentar o lucro.

As estatísticas atuais sobre educação e saúde pública mostram o que já se sabia, que a pilhagem continua. A dar atenção à emergência social brasileira, preferiram a empáfia do gradualismo, tudo no seu devido tempo, enquanto bebês morrem em berçários superlotados e crianças são mal preparadas por professores mal pagos para maus empregos, quando encontram. O neoliberalismo diz que o Estado é o vilão, um Estado abstrato, de ninguém, o que é uma forma de inocentar os que o usaram até agora como instrumento de rapina. Como privilegia os mesmos privilegiados de sempre, com a bênção adicional do dogma neoliberal triunfante, nosso governo pseudo-socialdemocrata apenas tornou a pilhagem mais respeitável. E simpática.

NOSTÁLGICOS

As caricaturas de capitalistas na imprensa antiga – e não só na propaganda esquerdista – nunca foram muito sutis. Bastava botar um gordo com um charuto e, vá lá, um colete insolente, e estava definido o tipo. Nem era preciso ter trabalhadores esfomeados sob seus sapatos lustrosos: ali estava o explorador das massas transformado num signo gráfico acabado, para consumo rápido. O próprio primitivismo da imagem deve ter contribuído para o capitalista clássico mudar – sem falar, claro, no crescimento do sindicalismo, do socialismo e de outras ameaças à sua empáfia. Hoje, os capitalistas são gente assim como você e eu, com os mesmos *jeans* e a mesma consciência social, só que de grifes diferentes. Mas porque os estereótipos tendem a voltar em ciclos, porque o socialismo não ameaça mais ninguém e – quem sabe? – porque eles mesmos sintam uma certa nostalgia das próprias caricaturas, os capitalistas estão de novo pedindo simplificações grosseiras.

Nos Estados Unidos, o típico neo-ogro capitalista é o executivo contratado para "*downsizear*" uma grande empresa e que ganha parte do seu dinheiro em forma de ações. Como Wall Street adora empresas que cortam empregos para ficarem mais competitivas, suas ações se valorizam e o nosso executor fica literalmente mais rico a cada demissão, além de também ganhar uma rentável reputação de dureza no mercado de bandidos. No Brasil, se vê essa nostalgia da caricatura não tanto entre os capitalistas, que nunca chegaram a se civilizar, mas entre nossos socialdemocratas entre aspas. Como uma espécie de desafio – já que tanto os acusam de proteger o capital e prejudicar o resto, é exatamente isso que vão fazer, mas agora ao extremo, com escárnio – o governo lançou um pacote que tira dinheiro de velhinhas e inválidos e dá para o especulador financeiro. E perto do Natal! Para as empresas que perderam na bolsa, BNDES e carinho. Para boa parte dos seus trabalhadores, rua.

Éfe Agá e o resto, entre baforadas dos seus charutos metafóricos, só devem estar lamentando que o nosso Natal não tenha neve, para o melodrama ser ainda mais antigo.

JOÃO E MARIA

Sejamos melodramáticos. Sejamos primários e piegas. Imaginemos duas crianças. João e Maria. O João brasileiro, a Maria iugoslava. Os dois ainda não nasceram. O João ainda não foi nem concebido. É uma hipótese, não é nem um feto. A Maria está para nascer. Não importa muito de onde o João vai ser, se do Nordeste ou ali da esquina. Ele vai nascer no grande estado brasileiro da Miséria, o maior estado da federação. Não importa muito de que classe ou de que etnia seja Maria. Ela vai nascer numa periferia dos erros da Otan.

Os dois não sabem, mas estão envolvidos numa luta pela sorte e contra o tempo. A luta pela sorte, o João já vai nascer perdendo. Na Miséria só nasce gente sem sorte, com poucas possibilidades de tê-la. A Maria tem mais chances de ter sorte, ou mais sorte de ter chances, do que o João. Se escapar da bomba perdida, vai receber ajuda de todo o mundo. Mas o inimigo dos dois é o tempo. Os dois ainda não estão nem respirando e já estão correndo contra o tempo. Se o João for esperto ou se, por sorte, tiver sorte, não nasce agora. Espera para nascer quando tivermos, como é que eles dizem? Um desenvolvimento sustentado com produtividade e estabilidade, depois das reformas, depois do bolo crescido para ser dividido, depois do mercado dar certo. Enfim, depois. Aquele estranho dia que nunca chega, pois quando chega vira agora, e depois fica para depois. Se nascer antes de depois e sobreviver à maternidade superlotada, ao SUS, às doenças endêmicas da Miséria, ao extermínio, às guerras de gangues – enfim, ao interminável pré-depois brasileiro – o João vai ser um desempregado crônico, pai de outros joões. Se pudesse decidir, o João deixaria para nascer no fim teórico, não logo no meio da discussão dos meios. Mas o João não pode decidir. Se nascer agora, azar. Quem mandou?

A Maria só precisa esperar que as negociações dêem certo e os bombardeios acabem para nascer sem o risco de ser, quem sabe, a última vítima da última bomba errada. Um dia a mais, um dia a menos de bombardeios: a vida de Maria pode depender dessa tênue diferença de uma noite. Mas a decisão também não é dela.

Galeria de tipos

BRIGA BOA

Uma vez imaginei um grupo de super-heróis que se chamaria A Turma do Deixa-Disso. Eles seriam como os outros super-heróis dos quadrinhos e do cinema, apareceriam sempre que uma missão fosse demais para simples humanos. Mas com uma diferença: viriam para apartar. Seu único superpoder seria o de dissuadir. Quando uma discussão ameaçasse virar briga ou as forças da ordem se vissem incapazes de controlar um conflito, eles receberiam um sinal na sua sede – presumivelmente suíça – e voariam para qualquer lugar do mundo, onde resolveriam o problema não com *pows* e *kapows* mas com palavras sensatas e pedidos de calma.

Concluí que minha idéia não tinha futuro comercial. São as cenas lamentáveis que vendem as revistas e os filmes. Justamente as que meus heróis, todos de branco e com seus capacetes prateados na forma de cabeça de pomba, impediriam sempre.

A briga de palavras entre o Collor e o Itamar seria um exemplo das dificuldades da Turma do Deixa-Disso. Convocados por pessoas preocupadas com o desdobramento político da troca de insultos e o feio espetáculo de, afinal, dois ex-presidentes da República se xingando na frente das crianças, eles aterrizariam no Brasil prontos para agir – e seriam vaiados pela multidão. Teriam que usar todo o seu poder para não serem massacrados. Uma briga que começa com um presidente dizendo que aceitou um idiota como seu vice e o vice dizendo que sabia desde o começo que seu presidente era um canalha é das tais que pede para não ser apartada. Há um grande entusiasmo popular por sua continuação e enorme curiosidade sobre o vocabulário que vem por aí. Também se espera que a volta do Collor atirando para todos os lados e a disposição do Itamar de responder à altura ajudem a esclarecer aquele estranho período em que um governo caiu por corrupção e nenhum corruptor foi sequer indiciado, o que dirá punido.

Seja como for, este decididamente não é um caso para a Turma do Deixa-Disso.

O MOODY

Só há um jeito. Éfe Agá falar com o tal de Moody. Afinal, deve haver uma cara, uma pessoa, alguém com quem conversar por trás do nome Moody's Investor Service, que acaba de rebaixar o Brasil na sua classificação de riscos de crédito para investidores internacionais, num evidente mal-entendido. Talvez o próprio Moody. Éfe Agá propõe uma conversa informal. O Moody pode dar um pulo a Brasília? Vem a resposta: o Moody não pode vir, Éfe Agá terá que ir ao Moody. Tudo bem. O importante é que haja o encontro, e Éfe Agá possa usar seu bom inglês e seu charme e convencer o Moody que o Brasil não é a Venezuela, nem o Paraguai, nem, rá-rá, a Rússia. Moody recebe Éfe Agá no seu escritório.

Sua expressão é uma só: nenhuma. Enquanto Éfe Agá fala, argumenta, faz projeções, faz piadas e até se exalta, Moody permanece impassível. Não sorri. Não pisca. Éfe Agá invoca tudo: nossa simpatia, nossas praias, nosso futebol, nossas boas intenções, até a Patrícia Pillar, e o Moody nada. Finalmente, quase em desespero, Éfe Agá invoca a si mesmo. "Olhe para mim, Moody. Eu pareço um presidente da Nicarágua? Eu pareço um risco de crédito? E isso que você ainda não me viu de sobretudo!". E o Moody mudo, os seus olhos mortos postos em algum ponto do infinito, atrás da orelha do Éfe Agá.

E então Éfe Agá tem uma revelação. Pensa: eu finalmente o encontrei, em pessoa. O mercado! Esse ídolo de ferro que destruiu todos os nossos deuses moles do passado e reina em triunfo. Ali, com aquela cara de americano entediado com mais um moreno inconformado. Éfe Agá se debate entre dois impulsos, o de pedir um autógrafo e o de desaparecer. Porque, se o mercado corresponder à sua admiração de convertido, não se deixará levar pelo sentimentalismo, ou pela tese da excepcionalidade brasileira. E se não se deixar levar, nos quebra.

Moody nota a indecisão de Éfe Agá e, pela primeira vez, dá sinal de vida. Inclina-se para a frente e pergunta, sorrindo:

– Onde você pensou que estava se metendo, meu caro?

ENFIM, UM HERÓI

Catita, a vira-lata que botou para correr os *pit-bulls* que atacavam duas crianças em Campos, chegou na hora certa. Não só para salvar as crianças: para nos salvar também. Você eu não sei, mas eu já estava a ponto de adotar o Itamar como herói. Seria um ato de desespero. Precisamos de heróis e eu estava com o posto vago, pelo menos enquanto o Dunga não voltava à forma. Na completa ausência de figuras exemplares e atitudes inspiradoras no Brasil de hoje, o Itamar estava quase servindo. Afinal, é um homem com *panache*, se é assim que se chama aquilo. Não apenas um chato mas um chato com uma missão – no caso, infernizar a vida de quem inferniza a nossa. E você sempre podia defender sua escolha como ironia. Itamar herói da gente, que afinal é meio de esquerda, seria a personalização da frase "a que ponto chegamos". Um agravamento da sentença do Brecht: triste o país que precisa do Itamar como herói...

E então chegou a Catita. Magnífica Catita. Estava dando de mamar aos filhotes e ouviu a gritaria das crianças. Há quem diga que a sua coragem foi instinto materno exacerbado, que ela, ao contrário do Itamar, nem pensou no que fazia. Atacou os *pit-bulls* com a astúcia e a garra dos vira-latas. Cada *pit-bull*, como se sabe, tem o *pedigree* de um economista do governo com diploma em Harvard. A comparação não é gratuita: há *pit-bulls* que também só atendem ordens em inglês. Nenhum foi adversário para a vira-lata. Os *pit-bulls* estavam matando as crianças porque é isso que eles fazem. Está na sua linhagem, é para isso que eles são criados: se houvesse simpósio de *pit-bulls*, como há de economistas, eles jamais discutiriam os possíveis efeitos da sua função de mastigar os outros. Só discutiriam teses sobre mastigação. Já a Catita, só sabe que não se mata crianças, nem as dela nem as dos outros, por nenhuma razão. Ainda não se sabe quais são suas simpatias políticas, mas eu já tenho candidato para 2002.

CATITA 2002!

Olha aí. Dizem que já começaram a surgir decalques e camisetas com "Catita 2002". A vira-lata que salvou duas crianças do ataque de *pit-bulls* está com sua candidatura à Presidência lançada. Na próxima pesquisa de intenção de votos, o seu nome deve aparecer entre os de Ciro Gomes e Tiazinha. Catita candidata, Catita presidente... Não é tão impensável assim. Está certo, é uma cachorra, mas diga a verdade: nós tivemos muita sorte, até agora, com quem não era? E Catita tem algumas vantagens evidentes, na comparação com outros candidatos. Por exemplo:

Campanha – Desde que não a confiássemos a nenhum baiano, a campanha de Catita poderia ser muito efetiva, inclusive apelando, com seu olhar doce, àquela parte do eleitorado que quer votar num candidato de esquerda mas tem medo do Lula. Retratos de Catita e Enéas lado a lado com a legenda "A qual dos dois você confiaria seus filhos?". Também se poderia aproveitar a idéia da mão espalmada do Éfe Agá. Catita mostrando a pata, que não tem dedos para enumerar as promessas que não vai cumprir, como fez o Éfe Agá. *Slogan*: "Ela não mentiria para você nem se quisesse".

A questão cultural – Tentariam contrastar a cultura do atual presidente com a de Catita, que só sabe duas palavras, *au* e *au*.

Mas o fato de não ser uma intelectual favorece Catita, que nunca escreveu nada que preferiria esquecer e não sofre a compulsão da tirada inteligente, causa de tantas gafes presidenciais. E a verdadeira poliglota é a Catita, já que o latido é uma língua universal, ao contrário das 17 que o presidente fala.

Nossa imagem no exterior – Uma coisa é certa: nas homenagens que lhe prestassem no exterior, Catita jamais se deixaria fotografar com um daqueles chapéus ridículos. Comeria o primeiro que tentassem colocar na sua cabeça.

Alianças espúrias – Catita nunca as aceitaria. Procurada pelo Marco Maciel para se aliar ao PFL, Catita o confundiria com um poste e faria xixi no seu pé, numa clara mensagem ao ACM.

Programa de governo – O de Catita não estaria em nenhum documento, livro branco, ideário, estudo, ensaio, compêndio ou discurso partidário. Se resumiria na frase "Criança não pode morrer". Toda a política do seu governo, principalmente a econômica, partiria daí. Se esse fosse o primeiro artigo da Constituição, e o Brasil respeitasse a Constituição, este seria outro país.

MARIA TERESA

Não seria insensato prever que Maria Teresa Collor, depois do seu instante de notoriedade como a cunhada mais famosa do Brasil, passaria à História como uma nota de pé de página. Um detalhe bonito, mas apenas um detalhe no episódio maior da briga dos irmãos, das denúncias, dos inquéritos e da destituição de um presidente. Quem diria então que Maria Teresa ainda seria notícia, celebridade e comercial na TV quando ninguém mais recordasse exatamente se Cláudio Vieira era o motorista que contou tudo ou o ministro da Saúde das bicicletas, ou aquele era o Fiúza?

A fama dela na época se devia a uma combinação de hábitos e preconceitos que nenhuma pregação antimachista ainda conseguiu eliminar, no Brasil. Mulher bonita em caso público atrai, primeiro, os fotógrafos. O pressuposto da atenção das câmeras é que a primeira função da mulher, em qualquer situação, é a de adorno. Quanto mais decorativa, mais destacável, e quanto mais curta a saia, melhor. Outro preconceito, nunca claramente dito mas sempre implícito, era que ela, sendo bonita, era suspeita. Ninguém convencia boa parte do público que a beleza de Maria Teresa não era, de alguma maneira, responsável pelo desentendimento entre os irmãos. Ali tinha coisa. Ah, tinha. Com aquelas pernas, era impossível não ter.

Além disso, ela era despachada e opiniática mas conservava um pouco da ingenuidade enternecedora, de mulher antiga, dos sonhos telúricos do macho brasileiro. Era a moça namoradeira com vestido estampado da quermesse do interior, "brejeira", a última manifestação de nostalgia do brasileiro pelo modelo agropastoril, pré-industrial, de mulher, antes do domínio do modelo malhação.

Mas a moça tinha a cabeça no lugar, desmentiu todos os preconceitos e todas as fantasias e está aí, a única coisa boa que sobrou de tudo aquilo. Ainda vamos lembrar do *impeachment* do Collor como uma nota de pé de página na história de Maria Teresa.

UMA TEORIA PARA A TIAZINHA

E se todo esse entusiasmo com a Tiazinha estiver nos dizendo algo mais grave sobre nós mesmos? E se depois de tantos anos de não nos entendermos, temos finalmente a resposta? Não somos cordatos e incivilizados, não somos tristes e carnavalescos, não somos, afinal, nem contraditórios nem de boa paz – somos masoquistas! Tudo se explica. A tal índole pacífica do brasileiro era apenas a expectativa de não sabíamos bem o quê, e agora sabemos: uma mulher com um chicote para nos machucar, e para adorarmos. Aquela nossa indecisão, aquela nossa irresolução – não temos uma História, temos uma série de começos em falso – eram falta de autoconhecimento. Não sabíamos o que queríamos porque não sabíamos o que éramos. Agora sabemos o que somos e do que gostamos. Queremos que pisem em nós com saltos altos e nos chamem de vermes.

Tudo o que o brasileiro sofreu na sua pseudo-história sem se revoltar era um substituto inadequado para o que secretamente desejávamos: a abjeção completa, sem nos revoltarmos. Quem não entendeu porque o país se sujeitou ao Collor é porque não entendia que o Collor era a Tiazinha antes do tempo. Era o começo da abjeção completa. Ele vinha para nos botar na linha. A Zélia nos depilou, metaforicamente, com o confisco, mas não foi o bastante. Foi humilhação insuficiente, faltou o chicote. Tese: Collor teria dado certo se a Zélia usasse ligas pretas. Hoje, quem defende o FMI e diz que ele só quer nos ajudar é porque também não entendeu. Queremos que o FMI nos discipline todas as noites, com insultos e arreios, e que nada dê certo. Nada de alívio. Dor, FMI, dor. Recessão. Mmmm. Miséria, que delícia. Vende tudo que é nosso, Éfe Agá, que a gente gosta. Corta no social, corta. Assim, assim. Agora apaga a luz e passa sal.

Está certo, é uma teoria exagerada. Adequada, se fosse verdade. Afinal, a perpetuação, sem reação, de uma elite tão sádica só se explicaria pelo gosto da maioria em sofrer. Mas a própria Tiazinha, daquele tamanhinho, é uma pseudodominadora, significando nada. No fundo, a gente está sempre atrás daquilo que a física busca para o Universo, uma teoria unificada do Brasil, que nunca descobrirá. O que, pensando bem, não deixa de ser um sinal de masoquismo.

O FACÃO DO SEU MANUEL

Seu Manuel era português e tinha um açougue. Acordava cedo e trabalhava duro e foi assim que educou os filhos e conseguiu até que Joaquim, o Joca, se formasse em economia na PUC e fizesse mestrado em Harvard. Nem no dia da chegada do Joca dos Estados Unidos, onde ganhara nota altíssima com sua tese de mestrado *Viés restritivo diagonal e viés distensivo horizontal nas economias emergentes*, o seu Manuel deixou de trabalhar. Tanto, que depois da recepção no aeroporto, o Joca foi direto para o açougue abraçar o pai, nem se importando com o avental sujo de sangue contra o seu Armani. Ficou contando do sucesso da sua tese para o seu Manuel enquanto este continuava a servir a freguesia, pois era um dia movimentado no açougue. Foi quando Joca viu, horrorizado, que toda vez que colocava a carne na balança, seu Manuel fingia distração e pressionava o prato da balança com seu facão, aumentando o peso. Não quis fazer uma cena na frente dos fregueses mas, assim que pôde, protestou. Que imoralidade era aquela? O pai não via que aquilo era desonesto? E, mesmo, o aumento no peso era tão pequeno que não compensava o risco de um freguês descobrir e fazer um escândalo. O pai não tinha vergonha?

Ó desgraçado, estás a cagare no prato em que comes – ponderou seu Manuel. E explicou que eram aquela pequena pressão do facão e aquele pequeno aumento no peso, repetidos várias vezes ao dia, durante anos, que tinham pago os estudos do Joca, inclusive o mestrado em Harvard e o Armani. Ou, continuou seu Manuel (em outras palavras, é claro), ele acreditava que cobrando preços justos, contentando-se com lucros honestos e, acima de tudo, tendo vergonha, o Brasil teria produzido a elite que produzira, inclusive economistas tão bons e tão elegantes para lhe dizer o que fazer? O Joca podia escolher entre trabalhar no açougue ou no governo. Seria rico e feliz, desde que nunca mais questionasse o facão.

Joca, apesar de fictício, hoje é funcionário do Banco Central, onde sempre justifica algum episódio de cegueira conveniente ou moral relativa lembrando a pressão do facão do seu Manuel no prato da balança. Que ele chama de *viés conjuntural perpendicular*.

ACM

O Malan e o Armínio andam pelo mundo para convencer os investidores estrangeiros que o Brasil não é como os outros países em crise e merece que os seus dólares voltem, e o ACM, sem sair daqui, faz a sua parte: se esforça para mostrar ao mundo que o Brasil não é a Indonésia, não é o México, não é a Rússia – o Brasil é a Bahia. Onde, como se sabe, ele é quem faz e desfaz. A CPI genérica do Judiciário, que ele quer porque quer, depois que tantas CPIs de casos específicos de corrupção no Legislativo e no Executivo foram vetadas porque não convinham, poderia ser atribuída a um delírio de grandeza – se o ACM não fosse o político brasileiro que usa com mais método a sua aparente oligofrenia. O poder do ACM é tudo menos um delírio do ACM, ou uma alucinação nossa. Mais de um presidente da República já se sentiu, na sua presença, como um usurpador do cargo que deveria ser dele, pelo menos pela empáfia. Pode-se discutir por que o seu poder continua tanto, depois de tudo que se passou, mas aí estaríamos discutindo não o ACM e sim o país, e sua predisposição a ter medo dele e perdoá-lo por tudo. Ou seja, a nossa concordância em ser uma Bahia hipertrofiada. Você pode dizer o que quiser do ACM, menos que a sua longevidade, impunidade e força não foram consentidas.

E quem sabe a solução para o Brasil não seria mesmo ser, oficialmente, uma imensa Bahia? Afinal, aquela é uma grande e bela terra, e se o ACM faz e desfaz por lá há tanto tempo e continua tão popular, alguma coisa ele fez ou desfez de bom, e poderia fazer o mesmo por nós. É verdade que teríamos que tomar algumas providências institucionais, como revogar a República, mas quem consegue acuar a Justiça com duas frases não teria dificuldade em restaurar a Monarquia com três.

MOCINHOS E BANDIDOS

Quando uma figura pública deixa de ser pública, também deixa de ser figura. Volta a ser um particular. Renuncia aos prazeres do estrelato mas ganha o direito de não ser mais assunto. Seu corte de cabelo e suas falas passam a não ser mais da conta de ninguém, salvo família, amigos e fornecedores. O general Figueiredo disse que queria ser esquecido depois da Presidência e, surpresa, estava sendo sincero. Nunca uma figura pública brasileira se tornou tão completamente um particular. Não se tem notícia da opinião dele sobre nada – e nada jamais lhe será perguntado, sobre o episódio do Riocentro ou qualquer outro do seu governo. Dizem que o Brasil não tem memória – o que o Brasil não tem mesmo é muita curiosidade.

Já o Gustavo Franco saiu da vida pública fazendo questão de ser lembrado e só por isso a obscuridade a que ele tem direito está sendo retardada. Gustavo the Kid saiu atirando. Fez uma longa e ressentida apologia do seu papel nesta barafunda, chamou o Éfe Agá de fraco e até deu nome a alguns dos bois que ajudaram a derrubá-lo. Foi ótimo, e não só porque foi uma novidade: estava bem escrito e ouvir a Fiesp ser xingada sempre dá um calorzinho bom na barriga.

Estão criticando a sua arrogância e a sua incapacidade de reconhecer seus erros, mas se ninguém nunca reconheceu seus erros no Brasil, por que Gustavo Franco seria o primeiro? O defeito da despedida do Kid foi que, apresentando-se como o mocinho incompreendido, ele estava dizendo que esta história tem mocinho e bandido. Que desenvolvimentistas irresponsáveis, distributivistas precoces e os eternos mamadores de privilégios do Estado destruíram um projeto que, com um pouco mais de paciência, traria a nossa redenção. Quando a verdade é que se a política do Gustavo Franco fosse mantida, não há dúvida que uma boa distribuição da renda brasileira finalmente viria, mas só porque seria fácil dividir a renda entre os 17 sobreviventes. Nas imortais palavras do Ricúpero: é tudo bandido. Uns só são mais do que outros.

UMA SUGESTÃO

Não quero me meter na vida do PT, mas já que o Lula não parece disposto e ninguém mais se habilita, por que não procurar alguém fora do partido para ser seu candidato à Presidência, com boa chance de unir as esquerdas? E lembro um nome: Fernando Henrique Cardoso. Aquele sociólogo e professor da USP e de Nanterre, muito respeitado entre os intelectuais e com trânsito nas áreas acadêmicas e sindicais, que lançou-se na política, foi candidato à Prefeitura de São Paulo e chegou a senador pelo PSDB.

É um socialdemocrata com uma sólida formação de esquerda e uma visão clara dos problemas sociais brasileiros. Mesmo representando setores apenas mais esclarecidos da nossa oligarquia e não se identificando totalmente com o ideário do PT, Cardoso seria algo de novo na Presidência, sendo impossível imaginá-lo recorrendo ao fisiologismo ou às outras práticas pouco assépticas que perpetuam os vícios da classe dirigente brasileira, muito menos sacrificando seus princípios pelo continuísmo, por uma reputação de esperteza política ou por qualquer outra manifestação de vaidade pessoal. Cardoso daria atenção prioritária à saúde pública, à geração de empregos, à desconcentração fundiária e de renda e jamais faria alianças e barganhas com lideranças arcaicas e corruptas. Além disso, com sua boa estampa, boa voz e facilidade de expressão, é o único político brasileiro capaz de enfrentar o Éfe Agá num debate eleitoral. Seria um debate interessante, duas pessoas defendendo posições simetricamente opostas, ambas com o mesmo brilho.

O único problema do PT seria descobrir o paradeiro de Fernando Henrique Cardoso e convencê-lo a concorrer. Como se recorda, ele desapareceu misteriosamente por volta de 94, interrompendo uma carreira política promissora, e nunca mais foi visto. Mas não deve ser difícil localizá-lo. A não ser, claro, que tenha morrido.

DOIS EM UM

É injusto comparar os dois Fernandos. O Collor sempre foi meio assustador, o Éfe Agá é um homem civilizado e simpático com o qual você gostaria de conversar sobre tudo que houve depois que ele deixasse a Presidência, de preferência na semana que vem. Mas não há como não tratar os dois como um só, já que a diferença é só de personalidades e um continuou o que o outro começou. No fundo, a soma dos dois Fernandos dá o Menem, que sucedeu a si mesmo na tarefa de escancarar a economia do país e seguir fielmente o consenso de Washington e agora assiste com a mesma impotência ao modelo dependente demais desmoronar. O Menem da primeira fase também era um excêntrico, com suas suíças extravagantes e seu ar de cabareteiro. Pouco a ver com o estilo do primeiro Fernando, mas assustador do mesmo jeito. Depois viu-se que Menem era mais respeitável, mais Éfe Agá, do que parecia. O governo do Menem na Argentina pode ser descrito como o governo do Collor e do Éfe Agá sem o alívio cômico do interlúdio Itamar.

É difícil saber o que falta – salvo, claro, uma saída – para concluir que a sujeição total a essa globalização em que só um ganha é um fracasso binacional a caminho de se tornar uma tragédia continental. A Argentina está até pior do que nós, talvez porque tenha se sujeitado ainda mais abjetamente. Depois de anos de submissão, a recompensa do Menem deles é esse final melancólico de *penuria y desilusión*. Enquanto isso, nossos dois meio-Menens trouxeram o país a esse estado de pré-guerra civil no campo e nas ruas, e o atual não aprendeu nem com a desgraça do protótipo e vizinho a pôr seu neoliberalismo de molho.

UM PRODUTO DO MEIO

É uma discussão antiga: o que prevalece na formação de um bandido – cultura ou genética? As opiniões vão de extremo a extremo, quase sempre da esquerda para a direita. Dos que acham que tudo é ambiente aos que acham que todo bandido nasce feito. Mas é sempre uma discussão sobre o criminoso marginal, sobre a responsabilidade ou não da sociedade no crime do miserável. Não se concebe uma consideração parecida para um Sérgio Naya – finalmente um completo vilão brasileiro, um bandido além de qualquer atenuante, sem nem a gorda simpatia de sultão do PC. Mas se há alguém que pode ser chamado de um produto do meio é o Naya.

Como qualquer pivete forçado a roubar para sobreviver, Naya é um filho da nossa cultura, e pode basear toda a sua defesa nas suas circunstâncias. A culpa é desta sociedade que quase o obrigou a ser o que é, com todas as facilidades que lhe deu, a impunidade que lhe garantiu, a cumplicidade que lhe ofereceu e o sucesso com que o premiou. Se não tivesse desabado uma das suas obras, tudo isto continuaria. Se teve tanto sucesso, até agora, em manobrar entre dívidas e processos sem perder qualquer parte da sua fortuna ou do seu poder político, Naya só podia esperar cada vez mais tolerância e incentivo numa cultura cada vez mais determinada pela barganha e pela *logique* da reeleição, já que tinha muito para trocar com o governo. Mas Naya foi pego com a bolsa da madame – agora só pode esperar que o Brasil sinta remorso do que fez dele e se apiede.

Como é um vilão imenso sem nada que o redima, Naya talvez não sirva para denunciar o meio apodrecido que o produziu. É o problema com os bandidos demais, como os *serial killers*: eles acabam não sendo típicos. A tese do condicionamento cultural perde para a tese da patologia. E a escandalosa promiscuidade de dinheiro e poder, a tácita aliança de banditismo empresarial e amoralismo político que dá num Naya, se vê mais uma vez desobrigada de examinar a própria culpa. Estava tudo nos genes.

Os anos Éfe Agá

PEGAR MAL

Bonito, o casal de branco. O Éfe Agá e a dona Ruth são pessoas simpáticas e elegantes, mais até do que merecemos. Mas vi a fotografia deles que saiu nos jornais esta semana e me lembrei do tzar Nicolau II. Talvez fosse a roupa branca. Existe uma pungente série de fotos da família imperial russa nas vésperas da revolução, no último verão alegre dos Romanov, e eles estavam todos de branco – foi isso. Além da roupa branca – e do gosto por citar franceses – não há outra semelhança. Nem o Éfe Agá é um tzar nem nós estamos às vésperas de uma revolução, eu espero. Mas as fotos evocadas eram retratos de uma família bonita e feliz, retratos de uma era docemente desatenta ao próprio fim, mas principalmente retratos de uma inconsciência conscientemente ostentada. Eles não queriam saber o que estava acontecendo. Fosse o que fosse, não estava acontecendo com eles. A emergência social brasileira também parece não afetar as suaves cerimônias da corte. Existe em outro país, menos civilizado e fotogênico.

O evento em que o casal foi fotografado de branco era, entre outras coisas, para reparar um erro de RP. O tzar Nicolau teve o azar de viver antes da era das relações públicas: não podia, como Éfe

Agá, errar o chute mas acertar o rebote. Éfe Agá é bom de rebote. Quando houve o massacre de Carajás, ele o chamou, resignadamente, de coisa do Brasil arcaico. Quando foi avisado de que o fato tinha pegado mal em todo o mundo, assumiu a pose apropriada. No Brasil, nesse governo, as coisas não são certas ou erradas: são absorvidas ou pegam mal. Os cortes nas verbas para programas sociais do governo pegaram mal, muito mal. Éfe Agá explicou que os cortes, certamente feitos por homens maus de terno escuro, passaram porque ele estava distraído e anunciou que as verbas voltam. Aqui subverteram o velho lema democrático: é governo de RP, por RP e para RP. Com verbas milionárias. Pobre do Nicolau. Tinha uma dinastia, um império e um exército, mas não tinha *marketing*.

O GOVERNO ACM

Quando o Éfe Agá interrompeu sua visita à Espanha para vir assistir ao enterro do Luiz Eduardo Magalhães, os espanhóis ficaram com todo o direito de suspeitar que o Brasil tinha mandado seu segundo time e que o verdadeiro chefe do Estado brasileiro era aquele Antônio Carlos Magalhães, para merecer tamanha deferência.

Muita gente aqui suspeita a mesma coisa e vê a posse da Presidência da República pelo ACM como as coisas finalmente nos seus devidos lugares, mesmo que temporariamente.

Mas esta presidência acidental nem nos dará um gosto do que seria sermos oficialmente presididos pelo ACM – quatro anos em poucos dias, não dá tempo – nem fará qualquer tipo de justiça, poética ou irônica, a um rei sem trono. Pois se é verdade que o ACM tem sido o poder de fato do Brasil nestes últimos anos, então o trono é o último lugar em que ele quer ser visto. Como eminência parda de uma era, ele teve todos os privilégios do poder no Brasil com uma vantagem que nenhum presidente teve: a de ser um poder presumido, que nunca precisou provar se é um mito ou se é verdade, pois ninguém jamais pagou para ver. A Presidência da República seria um rebaixamento para o ACM.

O poder de ACM faz parte do folclore político do Brasil e o bom do folclore é que ele se auto-alimenta, independente dos fatos. Quem vira folclore está livre de qualquer tipo de aferimento, passa a ter aquela franquia moral devida às artes. Como as artes negras da feitiçaria, que todo mundo acha arcaica mas pitoresca e, por via das dúvidas, não contraria. ACM tem a força mágica que coage o poder – você trocaria isso pelo poder secular e passageiro de uma presidência? O breve governo ACM ficará como um marco menor na biografia dele e mais uma estranheza na nossa. A gente já teve cada um, né?

O INCESTO E A MASSA

Se entendi bem, o governo se autogrampeou para garantir que as possibilidades de tramóia e trambique na venda do sistema Telebrás, um dos maiores negócios do mundo, não fossem tentação demais para ninguém. Um pouco como o viciado que, conhecendo bem a própria fraqueza, cerca a bebida, o cigarro, a droga ou o chocolate com um sistema de alarmes contra ele mesmo. A se acreditar na reação injuriada de Mendonças e Éfe Agás, o que os grampos flagraram foi uma tentativa de trambique virtuoso, uma tramóia pelo bem.

Conspirava-se para evitar que os aventureiros ganhassem. Mas o que foi gravado – além de cenas da já conhecida promiscuidade nas altas finanças brasileiras entre os que estão momentaneamente no governo esperando para sair e abrir uma consultoria e os que estão momentaneamente num banco esperando para entrar no governo e fazer currículo para a consultoria – foi um festival de calhordices e traições, no qual o verdadeiro "aventurismo" foi do governo, não importam as suas intenções, já que a sua intervenção, pior do que um crime, foi um fracasso. O próprio governo teria publicado a primeira versão das fitas, editadas, para prevenir contra a versão maior com o "não tenha dúvidas" do presidente, cuja publicação agora pode ser uma manobra para desengatilhar a revelação de versões ainda mais completas e comprometedoras – ou tudo pode ser apenas uma luta de facções por espaço na corte, dentro da "aliança" degradada. Essa farsa florentina se desenrola contra um fundo de progressivo embrutecimento da sociedade saqueada dos que não têm telefone celular nem para comer. Os dois Brasis, de tanto se distanciarem, chegam a seus extremos. O Brasil oficial, do privilégio e do descaso social, ao exercício do poder como um jogo de intrigas, a uma briga de poucos pelo produto do saque, às relações incestuosas em que acabam todas as castas fechadas. O Brasil do desemprego e do abandono ao assalto a caminhões na estrada para roubar massa para as crianças.

Intriga e incesto na corte, salteadores nas estradas. A esquerda acadêmica da USP e os economistas da PUC/Rio acabaram, mesmo, levando o Brasil para o Primeiro Mundo – só que no século 17.

A FALTA QUE FAZ UM VILÃO

Não me lembro. Em outras paradas de Sete de Setembro o Éfe Agá já tinha desfilado em carro aberto carregando uma bandeira nacional? Algum outro presidente da nossa história já fez isso? Talvez seja praxe e eu é que não tenha prestado atenção, mas havia algo de inquietante na cena. Enquanto desmonta o legado social da Era Vargas, o presidente evoca o seu lado filofascista, incorporando-se como acessório às pompas da pátria. Ele também deve se lembrar das pinturas de crianças no Dia da Independência venerando uma imagem em que a bandeira e o Dr. Getúlio se confundiam contra um céu de anil. Imagino que a evocação tenha sido sem querer.

Mas além desta imagem do dia sete, ficou outra, a do presidente olhando carinhosamente para o neto. E eu fiquei pensando na falta que nos faz um vilão. Um vilão daqueles de cinema mudo em que a maldade precisava estar na cara, sem qualquer ambigüidade. Um vilão assim enrolaria as pontas dos bigodes antes de, por exemplo, cortar ainda mais verbas da saúde pública, não deixando dúvidas sobre a imoralidade do seu ato. Mas não, são todos bons sujeitos, bons avôs, sensíveis, simpáticos, fazendo vilanias com as melhores intenções. Eles não são maus: é que a perversidade do modelo a que se entregaram, e nos entregaram, não está na cara, como as sobrancelhas de carvão do bandido. Como no mundo deles não existe diferença moral entre tirar do orçamento da saúde e tirar de qualquer outro orçamento, é tudo apenas conta de ajuste para preservar o modelo, o que eles fazem não é imoral. Seria imoral se soubessem a diferença. E podem defender o sacrifício da vida dos outros para pagar sua aposta errada como prova de virtude e firmeza, com a cara completamente limpa.

OU...

Ninguém quer ver o Éfe Agá liderando piquete na frente da Volkswagen e nem de um presidente do PT se esperaria tamanho teatro. Mas este governo – ou pelo menos este presidente – tem uma das suas raízes políticas nas manifestações do ABC paulista, quando nascia o sindicalismo independente no Brasil e a esquerda acadêmica não achava demagógico falar para operário. Ou aquilo era demagogia e a neutralidade de hoje é a verdade do homem ou aquele era o Éfe Agá autêntico que, de concessão em concessão, deu neste. Ou então tudo não passa de mais uma triste amostra do que o tempo faz conosco e com nossos princípios.

Nenhum grande gesto dramático de apoio aos trabalhadores seria necessário hoje se o Éfe Agá que tomou posse fosse o mesmo Éfe Agá do ABC, ou um sucedâneo razoável. Só porque as prioridades naturais de um homem com sua biografia não foram escolhidas na hora certa é que hoje é preciso escolher, para evitar o caos das demissões em massa, entre dar mais vantagens ao empresariado chantagista, tirar mais direitos sociais dos trabalhadores ou lavar as mãos como aquele romano. O que se reclama de Éfe Agá não é o grande gesto que ele se recusa a fazer hoje porque seria populismo de mau gosto. São as grandes escolhas que ele não fez quando tinha, presumia-se, todas as convicções do seu passado e mais o poder para realizá-las. Depois de três anos de nenhuma política industrial, de todas as fichas da economia no capital internacional etéreo e de mal disfarçado descaso social, conclui-se que ou a presunção estava errada ou as convicções não eram aquelas.

Ninguém, claro, pode ser refém da sua própria retórica por toda a vida, ainda mais retórica de pátio de fábrica. Mas mais de um trabalhador, ouvindo o Éfe Agá e o Lula daqueles tempos, deve ter pensado, "Ah, quando um cara desses for presidente...". Um já é e não adiantou.

MARIONETES

Éfe Agá deu a aula teórica e o novo ministro do Trabalho a demonstrou na prática. Edward Amadeo é um moço simpático, e dizem que é eficiente. E ali estava o moço não exatamente mentindo para a gente na televisão mas mostrando uma tendência preocupante em praticar a ética de resultados do Max Weber segundo Éfe Agá. O presidente ensinou que o governo não pode dizer toda a verdade e a meia verdade que o ministro estava dizendo na TV era que o salário mínimo tinha dobrado durante os anos Éfe Agá, como o presidente prometera. Nem pela ética relativa a conta estava certa, porque, quando este governo assumiu, o mínimo era de 70. Em valor real, então, o dobro do mínimo de janeiro de 95 teria que ser duzentos e pouco. Ficaram faltando uns 70 paus para a verdade inteira, portanto. Olha aí, pessoal do salário mínimo. Queixas com o Max Weber.

Mas eu estava olhando o Edward Amadeo na televisão, com sua estampa de garotão, suas óbvias boas intenções e seu aperfeiçoamento em Harvard e me perguntando – e não me respondendo, porque não falo com qualquer um – se não estamos sendo injustos com eles, todos eles, começando pelo Éfe Agá. Se o que estamos assistindo não é mais um exemplo de intelectuais ingênuos e professores distraídos sendo usados, vendo sua respeitabilidade e sua boa imagem exploradas por espertos. Este é um governo do PFL mas quem bota a cara na TV por eles são os amadeos, quem sacrifica biografia e credibilidade são os serras e os fernandos henriques, quem fica com a má fama enquanto eles ficam com o poder é a esquerda acadêmica, que fez todo aquele barulho socialdemocrata e aquelas teses inspiradoras para acabar como marionetes, e marionetes mentirosas.

No fim, quem critica o Éfe Agá não sabe bem quem está servindo. Os interesses ocultos por trás das boas estampas, ajudando a manter o disfarce do poder verdadeiro, ou o ego do Éfe Agá, ajudando a manter a ilusão de que é ele que manda. Aposto que o Éfe Agá prefere ser malhado até por engano.

O PRESIDENTE TEM RAZÃO

Mais uma vez os adversários pinçam, maliciosamente, uma frase do presidente para criticar. No caso, a sua observação de que é chato ser rico. Pois eu entendi a intenção do presidente. Ele estava falando para pobres e preocupado em prepará-los para o fato de que não vão ficar menos pobres e podem até ficar mais, no seu governo, e que isso não é tão ruim assim. E eu concordo com o presidente. Ser pobre é muito mais divertido do que ser rico. Pobre vive amontoado em favelas, quase em estado natural, numa alegre promiscuidade que rico só pode invejar. Muitas vezes o pobre constrói sua própria casa, com papelão e caixotes. Quando é que um rico terá a mesma oportunidade de mexer assim com o barro da vida, exercer sua criatividade e morar num lugar que pode chamar de realmente seu, da sua autoria, pelo menos até ser despejado? Que filho de rico verá um dia sua casa ser arrasada por um trator? Um maravilhoso trator de verdade, não de brinquedo, ali, no seu quintal! Todas as emoções que um filho de rico só tem em *videogame* o filho de pobre tem ao vivo, olhando pela janela, só precisando cuidar para não levar bala. Mais de um rico obrigado a esperar dez minutos para ser atendido por um especialista, aqui ou no exterior, folheando uma *National Geographic* de 1950, deve ter suspirado e pensado que se fosse pobre aquilo não estaria acontecendo com ele. Ele estaria numa fila de hospital público desde a madrugada, conversando animadamente com todos à sua volta, lutando para manter seu lugar, xingando o funcionário que vem avisar que as senhas acabaram e que é preciso voltar amanhã, e ainda podendo assistir a uma visita teatral do Serra ao hospital, o que é sempre divertido, em vez de se chateando daquela maneira. E pior: com todas as suas privações, rico ainda sabe que vai viver muito mais do que pobre, ainda mais neste modelo, e que seu tédio não terá fim. Éfe Agá tem razão: é um inferno.

O PENSAMENTO ÚNICO

Da sua trincheira na *Folha*, o Cony tem, algumas vezes, evocado o nazismo e o culto a Hitler, outro campeão do ibope, nos seus comentários sobre o governo Éfe Agá. Parece um exagero. É difícil imaginar que algum dia teremos que nos cumprimentar com um "*Heil* Fernando" ou nos preocupar com uma Gestapo batendo na porta, se bem que, por via das dúvidas, eu estou estocando o sótão da casa com mantimentos. O que o Cony quer é alertar para os perigos do Pensamento Único que vai aos poucos tomando conta da nação e com a reeleição do Éfe Agá completará sua ocupação das nossas mentes e almas.

Cony usa o Hitler porque é o exemplo mais rápido. Mas o Pensamento Único não precisa de um poder totalitário como o de Hitler para ser imposto. O mais assustador no Pensamento Único que nos ameaça é justamente que ele dispensa as botas e a truculência e se instala com a suavidade do inevitável, com sua sorridente cara socialdemocrata e seu coração de pedra. Quem resistir-lhe será condenado apenas à irrelevância, no máximo ao silêncio. Os judeus da história são nossos neurônios, para os quais a solução final não passará de um lento amortecimento pela desistência, tudo perfeitamente compassivo e democrático. Alarmismo ridículo? Você devia ouvir as histórias que correm no meio jornalístico, sobre pressões de anunciantes e de Brasília para maneirar as críticas e controlar a resistência ao Pensamento Único. Nunca se viveu um clima parecido de prepotência na nossa história moderna. Salvo, claro, quando a Gestapo era de verdade.

O plano do Pensamento Único, depois da reeleição do seu atual representante em Brasília, é impor o parlamentarismo com os mesmos métodos com que foi imposta a reeleição. O parlamentarismo é uma grande idéia mas, no caso, vem manchado pela sua origem no projeto de dominação do Pensamento Único. Que também quer durar mil anos.

O PECADO DE CADA UM

O Éfe Agá não tem nenhuma Monica Lewinsky, e se tivesse não seria da conta de ninguém. Mas em algumas coisas os discursos do Éfe Agá sobre a crise e as explicações de Clinton sobre a moça se parecem. Os dois estão confessando seus pecados, Clinton o adultério e Éfe Agá o jogo com o que não lhe pertence. E os dois precisam falar para vários públicos e expectativas simultaneamente.

Clinton tem que responder às perguntas dos seus inquisidores sem se expor legalmente – portanto, falar para eles e para os seus próprios advogados ao mesmo tempo. Precisa ser específico sem esquecer sua biografia, e contrabalançar detalhes clínicos com um senso de História. A todas essas, também está se explicando para a Hillary e, quem sabe, ainda mandando mensagens cifradas a alguma namorada desconhecida para a qual dava desculpas esfarrapadas, tipo "estava presidindo a Nação", quando na verdade estava com a Monica.

Já o Éfe Agá precisa falar, num mesmo discurso, para o público interno e para o público externo, para o seu eleitor e o eleitor do outro, para os estrategistas da sua campanha, para os banqueiros daqui, para os banqueiros de lá e para os investidores internacionais, principalmente aqueles investidores que lembram do Brasil um pouco como o Garrincha lembrava que Roma era aquele lugar em que o seu Feola caiu na banheira. "Brasil, Brasil... Ah, aquele lugar maluco que quer dar 50% de juros pelo meu dinheiro?" E a todas essas tem que esperar que todos esses públicos tenham má memória, porque o último anúncio de austeridade do governo foi uma repetição das promessas feitas quando estourou a crise na Ásia, e que ninguém cumpriu.

A vantagem do Éfe Agá sobre o Clinton, além de o charuto não entrar em nenhuma das suas equações e nem imprensa nem Congresso lhe cobrarem qualquer tipo de contrição, é que no seu caso falar para a posteridade e falar para a banca internacional é a mesma coisa. A posteridade de Éfe Agá depende do que a banca internacional fará pelo seu governo. Outra diferença é que Clinton pensará duas vezes antes de recair no seu vício confessado enquanto Éfe Agá, Malan, Gustavo Franco etc. continuarão na mesa de jogo, jogando o nosso, sem nem reconhecer que pecaram.

NEUTRALIDADE

Cortaram a verba da saúde. Pense nisso sem pensar no resto. Esqueça a crise, pense só nisso. A verba da saúde já era pouca, ficou menor. A saúde pública no Brasil já era um escândalo, virou um escárnio. Mas visto assim, na sua limpidez isolada, separado das suas circunstâncias, sem atenuantes ou explicações, o corte na verba para a saúde até que tem uma certa grandeza. Um homem ou um governo que assume sua perversidade contra todo bom senso e a opinião comum, que desdenha da posteridade para, conscientemente, tirar dinheiro de um sistema de saúde que precisa de mais, merece a admiração relutante que despertam os heróis nietzschianos, para os quais a moral convencional é um desafio à sua convicção de superioridade. Uma convicção de superioridade pelo menos é uma convicção. Assumir uma vilania é pelo menos assumir uma posição. E todo ato de crueldade gratuita tem, ainda por cima, o seu fascínio literário.

Mas coloque o corte da verba para a saúde nas suas circunstâncias, cercado de atenuantes e justificativas, e aí sim é que ele fica abjeto. É preferível pensar no Éfe Agá e na sua equipe econômica como nietzschianos convictos, afrontando os bons sentimentos para provar que desprezam esses parâmetros bobos, do que imaginá-los cortando verbas da área social na mesma proporção dos outros cortes para enfrentar a crise – porque para eles não há a menor diferença! Não ocorreu a ninguém dizer "quem sabe da saúde a gente não corta" ou "vamos tirar mais do dinheiro que o Padilha está gastando em obras eleitoreiras e deixar o da saúde" ou sequer um pragmático "sei lá, tirar da saúde pode pegar mal...". Talvez a única hesitação deles antes de condenar mais alguns programas preventivos e pessoas à morte tenha sido "será que o Serra não vai fazer barulho?". Melhor uma vilania assumida do que a neutralidade moral que revela não uma crueldade pessoal mas a insensibilidade de todo um sistema, de um modelo, de uma idéia de governo. E no fim, nem o Serra, que parece achar que o problema da saúde pública no Brasil se resolve com histrionismo, fez muito barulho.

O PRESIDENTE E O CANDIDATO

Ouvi dizer que até o próprio Éfe Agá está confuso com esse negócio de ter que separar o presidente do candidato e no outro dia deu ordens para ser acordado assim:

– Chamem o presidente primeiro mas deixem o candidato dormir mais um pouco.

A dona Ruth também nunca sabe quando está falando com o presidente ou com o candidato. Não adianta só chamar pelo nome.

– Fernando...

– Qual?

Tentaram estabelecer um código para identificar um e outro, mas também deu confusão.

– O senhor está usando a máquina do governo.

– Claro que eu estou usando a máquina. O governo é meu. Uso a máquina quando eu quiser.

– Desculpe, eu pensei que...

– Quantas vezes eu preciso dizer? Gravata listada, é presidente. A do candidato é com figurinha. Ou é o contrário? Não, é isso mesmo.

– E gravata lisa?

– Hmmm. Não pensamos nisso...

A assessoria do presidente – ou é do candidato? Enfim, a assessoria – está pensando em fazer o Éfe Agá usar bonés diferentes, um com a letra P, outro com a letra C, para identificar o presidente e o candidato. Isto permitiria ao Éfe Agá viajar, por exemplo, para fazer uma inauguração oficial usando o boné de presidente e, na hora das fotos, trocar rapidamente pelo boné de candidato, o que economizaria tempo e dinheiro. Os bonés também ajudariam o próprio Éfe Agá a identificar suas duas personalidades e mantê-las separadas. Há um temor no Planalto de que se crie uma situação tipo Dr. Jekyll e Mr. Hyde, com o candidato aproveitando-se de uma distração do presidente para ocupar o seu corpo e começar a usar a máquina indiscriminadamente, às gargalhadas, sem nem trocar de gravata.

RETRATO CALADO

Era natural que a conversão dos telefones para o novo sistema desse confusão, mas a expectativa criada pela publicidade das teles foi exatamente outra. Tudo estava testado, retestado e pronto para nos receber no reluzente novo mundo da telefonia desmonopolizada. Sabe-se agora que até a competição era mentira, pois todas as chamadas interestaduais continuam sendo feitas através da Embratel e só vai haver escolha entre servidoras mais adiante, e entre preços na improvável hipótese de os consórcios não preferirem um acertozinho para não prejudicar ninguém. O monopólio público foi substituído por um cartel privado, unido, até agora, pela incompetência.

Depois das privatizações, as teles inundaram a mídia de anúncios e filmes, gastando muito mais em propaganda, como se vê, do que na capacidade para fazer o que prometiam. Páginas e páginas de jornal festejando uma realidade que é o contrário, a venda de uma expectativa que na prática não funciona, lembra o quê? Pois é, o Brasil de Éfe Agá. O fiasco das telefônicas é o retrato falado ou, no caso, calado da embromação brasileira, da dominação da mídia pelo otimismo falsificado e do grande logro desse modelo sendo vendido, também em páginas e páginas. A diferença é que amanhã ou depois as ligações se regularizarão mas a realidade que desmente a propaganda oficial e oficialista – o desemprego, a dívida e a dependência, o embrutecimento da sociedade desassistida – se agravará.

Enfim. Você eu não sei, mas a minha vontade é pegar a Ana Paula Arósio, botar no meu colo, levantar a sua saia e lhe dar umas boas palmadas, para o capital espoliativo aprender.

SOBRE O LEITE DERRAMADO

I*t's no use crying over spilled milk but...* Está bem, está bem. Me convenceram que minha idéia de escrever em inglês, já que só faltaria mesmo entregar a língua, é um pouco prematura. De ontem para hoje, surgiram focos de resistência à dominação total do Brasil pelo FMI em lugares surpreendentes – o ACM, por exemplo – e fala-se até na possibilidade de o Brasil devolver ao FMI o dinheiro que já veio, pedir todas as suas cartas de volta e mudar a fechadura. Até a situação se definir, portanto, vamos continuar usando o português, pobre mas orgulhoso.

Mas diz a frase em inglês que não adianta chorar por leite derramado. Que o que está feito está feito e nada vai desfazer. No nosso triste caso, isso significaria que não se deve ficar lamentando a situação e culpando quem nos colocou nela e sim ajudar o Éfe Agá a encontrar uma saída. Nã-nã-nã. Em primeiro lugar, é muito importante saber quem derramou o leite, por quê, em cima de quem e em que circunstância, para que não se repita. Assim, da próxima vez que nos aparecer um Fernando pela frente, em vez de nos fixarmos no penteado e nas promessas, faremos a pergunta: você confiaria uma bandeja com um copo de leite, mesmo metafórico, a esse homem? Em segundo lugar, a situação está como está justamente porque temos o hábito de não punir o leite derramado, de perdoar o malfeito, de deixar tudo eternamente pra lá. Está aí essa oligarquia que já passou por desastres que envergonhariam qualquer garçom de boteco, e já derramou líquidos bem mais graves do que o leite, com o mesmo poder de sempre, e propondo alternativas para a última enrascada em que nos meteu com a mesma empáfia de sempre. Boa sorte para Éfe Agá e sua intrépida trupe na solução da crise. Mas que se repita sempre: foram eles que derramaram o leite, e sabiam o que estavam fazendo.

TERNOS CLAROS

Se os ternos claros que o Éfe Agá tem usado ultimamente são uma determinação da sua assessoria de RP, mostram que ela está merecendo o aumento de verba que recebeu. Não importa que tenha sido com o sacrifício de verbas para a chamada área social. A área de comunicação do governo fornece a um país assolado pela realidade o que ele mais precisa: mentiras. Nada mais social do que isso.

O presidente fica bem de ternos claros e eles transmitem uma idéia de jovialidade e otimismo renovado. Afinal, a crise cambial passou, o capital especulativo volta, as bolsas sobem e tudo parece bem no pequeno Brasil que Éfe Agá governa. No outro Brasil, o desemprego aumenta, a saúde diminui, a guerra civil disfarçada no campo se alastra e o embrutecimento generalizado continua, mas esse país o Éfe Agá não freqüenta. Nesse país, o governo só chega como teatro primário. Onde, como se sabe, o mocinho é o de branco.

Os ternos claros bem cortados também são adequados porque lembram europeus tentando viver civilizadamente nos trópicos. Senhores coloniais mantendo as amenidades metropolitanas e a elegância possível enquanto exploram os selvagens e a paisagem apodrece à sua volta. No fim, eles também são uma teatralização do patriciado brasileiro vivendo nos seus enclaves de privilégio e bom gosto onde os nativos só entram com os ruídos da selva – e cuidando para nunca entrar na selva. O RP da Presidência pensou em todas as conotações dos ternos claros ao encomendá-los, se é que os encomendou. E com tanta gente tentando analisar e entender o Brasil de hoje, quem diria que o melhor resumo da situação seria feito por um alfaiate?

MANEJO

Como a invenção do tipo móvel por Gutemberg foi considerada o acontecimento mais importante do milênio que está acabando, não é megalomania de jornalista achar que todos os marcos na história da imprensa são marcos na História da humanidade. E o mais recente marco na história da imprensa e do mundo foi a publicação daquela foto de uma solenidade no Paraná da qual o Jaime Lerner foi eletronicamente subtraído do lado do Éfe Agá porque é um desafeto do dono do jornal, que não admitia sua presença no local.

Não foi, claro, a primeira vez que alguém foi suprimido de uma fotografia para agradar ao chefe. Na União Soviética, era comum o desaparecimento de pessoas de fotos históricas a cada nova publicação, à medida que sua importância na História ia sendo repensada ou elas caíam em desgraça. Mas a supressão era primitiva, com retoques à tinta e montagens maldisfarçadas. Com o computador e suas novas técnicas de manejo de imagem, a pessoa é eliminada sem deixar vestígios. Se quisesse, o editor da foto poderia ter substituído o Jaime Lerner ao lado do Éfe Agá por outro político, mais simpático ao chefe, e até colocado a mão dele no ombro do presidente.

Já existe equipamento que permite colecionar expressões e movimentos faciais de atores mortos e fazer filmes novos com, por exemplo, a Julia Roberts contracenando com o Douglas Fairbanks – o pai! Até com beijo no fim. A aplicação da nova técnica na política traz possibilidades estonteantes. Como cada vez mais as campanhas eleitorais são feitas pela televisão e dispensam contatos pessoais, nada impede de, no futuro, uma frente de oposição lançar um Juscelino Kubitschek virtual para impedir a terceira reeleição do atual presidente, ou o Getúlio Vargas voltar prometendo acabar com a Era Éfe Agá.

O fato é que uma das tantas coisas que este século desmoralizou é a "documentação fotográfica", o velho e bom preto no branco. Não podemos mais, literalmente, confiar nos nossos olhos.

A GORDA CANTOU

Não sei de quem é a frase, mas ela é constantemente citada na imprensa esportiva americana. Alguém, um dia, querendo dizer que nada está decidido antes de um jogo ou uma luta acabar, invocou a descrição simplificada do que acontecia numa ópera. Segundo esta, uma ópera só terminava depois que a gorda cantava. Por mais incompreensível que fosse o enredo, você sabia que nada se resolveria enquanto a segunda valquíria ou a opulenta mãe do tenor não tivessem o seu solo. Daí uma máxima para todas as ocasiões: não termina enquanto a gorda não cantar.

De certa forma, no Brasil, desde que o governo Éfe Agá começou a deslizar para o caos, a gente esperava um sinal igualmente claro de que o fim, ou pelo menos a confusão terminal seguida de sabe-se lá o quê, estivesse próximo. Um fato que resumisse tudo que a gente quer dizer quando diz "não é possível", com ou sem ponto de exclamação. Acho que o sinal foi dado. O episódio da nomeação, posse e renúncia do diretor da Polícia Federal vai ficar, no resumo desta ópera, como uma apoteose, ao contrário, da inapetência para decisões e da incompetência que nos desgovernam. Tudo que este governo tem de pior, das alianças oportunistas coagindo um executivo fraco ao seu desprezo pela realidade, ficou evidente no vexame. A gorda cantou. A gorda, definitivamente, cantou.

A semana passada teve outras antiapoteoses marcantes. Atingimos uma espécie de cume do cinismo assumido com a acusação do ACM ao ministro Velloso de ser uma cria da ditadura. Pior do que uma presunção do ACM de que ninguém se lembraria da sua própria cumplicidade com o arbítrio é a conclusão de que a presunção era dispensável: mesmo sabendo que todos conhecem sua biografia, ACM pode dizer o que bem entender no vácuo moral a que chegamos. Tudo, afinal, pode ser dito e feito quando nada tem conseqüência. Veja-se o silêncio que se seguiu ao outro recorde da semana, os mais de 50 mil por cento de ágio pagos num dos lances do leilão do petróleo. Cinqüenta mil por cento sobre o valor que brasileiros anônimos deram ao seu solo, e tudo bem.

Não foram uma nem duas, foi um coro de gordas. De agora em diante, tudo é epílogo.

É O TCHAN

Se você conseguir visualizar o governo como o grupo musical É o Tchan, poderá entender melhor o que está acontecendo na política brasileira. O Tchan continua unido e faturando, mas há uma briga entre as suas duas bailarinas, a loira e a morena. Pense no PFL como uma das bailarinas e no PMDB como a outra, os dois de shortinho apertado e se odiando, e você terá uma idéia da situação.

A diferença entre os partidos e as bailarinas é que enquanto elas continuam sacudindo o "tchan" lado a lado e não deixam seu desentendimento atrasar a coreografia, o PFL e o PMDB brigam em cena aberta. Não dá para dizer até quando o grupo se manterá coeso, ainda mais que o seu líder e cantor principal, Éfe Agá, prefere não se envolver e deixar que o tempo resolva tudo. Mas cedo ou tarde uma das bailarinas irá dançar no sentido figurado. Como não há notícia de que o PFL tenha, em qualquer época ou circunstância, deixado um governo, o mais provável é que o PMDB parta para uma carreira solo.

Mas o paralelo entre a política e o Tchan é um pouco mais complicado do que isto, e não apenas porque é difícil pensar em qualquer membro dessa aliança de conveniências que apóia o governo de shortinho apertado. Há uma diferença mais sutil. No fundo, PFL e PMDB estão brigando não por implicância ou diferença artística mas para saber qual dos dois, no caso, é a loira. E, portanto, tem mais chances de ter sucesso sozinho, dada a inexplicável preferência de público e mídia pelo "tchan" mais claro. Faltam três anos e pouco para as próximas eleições presidenciais – quer dizer, estamos na véspera! – e os partidos precisam pensar não só em assegurar sua identidade própria e não se comprometer com um governo cada dia menos popular mas também em estabelecer sua loirice.

O PMDB já teve outras oportunidades para se lembrar da sua história e cair fora dessa aliança, mas preferiu a conveniência. Agora que o governo se enfraquece, o PMDB volta a dar sinais de independência, ou de boa memória. Melhor assim do que nunca. Afinal, uma briga de bailarinas é razão como qualquer outra para recuperar a razão.

DESPREZO

O Éfe Agá está certo quando diz que muita gente que se queixa de alguma omissão dele está se queixando da falta de um ditador. A indignação às vezes faz as pessoas se esquecerem que a democracia tem suas regras, a justiça tem seus processos e o presidente não tem todo o poder. No recente episódio da indenização prometida para as vítimas do Naya, o próprio Éfe Agá se deixou levar pela indignação dos outros e prometeu fazer o que não podia. Aliás, na justa raiva do Naya (um homem que se fez por si mesmo, o que explica as falhas na estrutura) e do que ele representa, muita gente está esquecendo que ele também tem seus direitos e que nenhum crime justifica um linchamento, mesmo virtual.

No caso da nomeação do general Fayad para a subdireção da Saúde do Exército, no entanto, desfazer a nomeação não seria um ato ditatorial de desprezo por nenhuma regra ou processo. O porta-voz da Presidência, o elétrico Sérgio Amaral, disse que o presidente assinou a nomeação do general sem saber que ele tinha sido cassado pelo Conselho Regional de Medicina por participar em sessões de tortura. Agora sabe. Manter a nomeação equivale a dizer que, mesmo que soubesse, a teria assinado. Revê-la só equivale a admitir que o presidente anda mal-informado, uma mancha menor na sua biografia.

DE LEVE

Aconteceu no plenário da Câmara Federal, ontem, se você pode acreditar que tinha alguém no plenário da Câmara Federal, ontem. Dois deputados, um governista e um da oposição, conversavam sobre os acontecimentos da semana passada. Concordavam que tinham sido lamentáveis.

– Não pode – disse o governista.

– Não pode – concordou o da oposição.

– Onde é que estamos?

– Tem razão.

– Discussão, está certo. Manobras regimentais, está certo. Mas violência, sopapos, empurrões...

– Inadmissíveis.

– Prejudicou, inclusive, vocês da oposição.

– Sem dúvida.

– Um espetáculo degradante.

– Triste.

– Lamentável.

– Lamentável.

– Se o negócio é a força bruta, deviam convocar o Mike Tyson para liderar as próximas manifestações.

O outro ficou em silêncio. O governista estranhou.

– Você não concorda que seria o cúmulo?

– Claro, claro. Se bem que...

– O quê?

– Nada, não. Esquece.

– O que você estava pensando?

– Tive uma visão. O Mike Tyson atrás do José Lourenço.

– Você quer dizer... para bater?

– Não, não. Seria uma barbaridade. Nem ele merece isso.

– Claro.

– Mas uma mordidinha na orelha...

O outro ficou pensando. O da oposição acrescentou:

– De leve.

E os dois concordaram que uma mordida na orelha do José Lourenço, de leve, faria um bem enorme à nação.

DEIXA PRA LÁ

Se a História do Brasil ensina alguma coisa é que ninguém paga pelo que foi, fez e falou. A gente reclama que a imprensa é boa com o Éfe Agá e não cobra suas barbaridades, mas ela está apenas respeitando uma tradição. No Brasil, as frases infelizes são como os cachorros que correm atrás de carros. Perseguem quem as disse por algum tempo, dão a impressão de que vão estraçalhá-los, mas desistem logo. As repercussões da frase do presidente do STE sobre a conveniência da reeleição, por exemplo, não duram até quinta-feira. Posições defendidas e calhordices assumidas no passado também se perdem na poeira. No Brasil, o passado vai junto com o lixo, para o esquecimento ou a reciclagem. Os poderosos e prestigiados da República, hoje, eram poderosos e prestigiados no regime militar e não precisaram adaptar nada para continuar mandando, salvo um ou outro trecho do discurso. Em vez do general do dia, se aliam ao Fernando do dia.

A tradição de perdoar tudo acabou criando abusos. George Bush fez sua campanha para a Presidência dos Estados Unidos, depois do Reagan, prometendo que não criaria novos impostos. Repetia a frase "leiam os meus lábios: nenhum imposto novo". Um ano e pouco depois de eleito, tinha criado vários impostos novos e se desmoralizado, ou desmoralizado a sua frase, mas pelo menos teve um período de recato. Nos trópicos, as coisas apodrecem mais depressa. Éfe Agá prometeu que os juros não iam aumentar de manhã e os juros foram para quase 50 por cento à tarde. Do mesmo dia! Não tivéssemos uma imprensa tão compreensiva – parece que o elétrico Sérgio Amaral explicou que o presidente quis dizer "não aumentam até o meio-dia" e todos ficaram satisfeitos – e uma tradição de deixa-pra-laísmo tão forte, as implicações da promessa desmentida em horas estariam entre os pontos principais do debate eleitoral, se isto existisse. Ou o Éfe Agá estava deliberadamente nos enganando ou estava sendo enganado e, em qualquer dos casos, o fato seria gravíssimo.

Em outro país, claro.

A SEXTA EXPLICAÇÃO

Curiosa, a fotografia que saiu nos jornais, do Éfe Agá com os líderes do PMDB que foram lhe comunicar o resultado da convenção em que o partido decidiu, aos tapas, apoiá-lo. Estão todos com o mesmo sorriso, o que é compreensível. Mas todos da primeira linha estão com as mãos cruzadas na frente do chamado baixo ventre, naquela posição em que ficam os jogadores de futebol numa barreira, precavendo-se contra um bolaço no impensável. As explicações possíveis para a pose simultânea são:

Coincidência.

Uma demonstração de unidade de pensamento, identidade de propósitos, convergência de interesses e que ninguém está tirando ou botando nada no bolso de ninguém em pagamento de coisa alguma, como andam dizendo.

Um fotógrafo brincalhão gritou "Olha o passarinho!".

O fotógrafo gritou "Vamos ver as alianças, gente!".

Os sorrisos são para disfarçar e o presidente e o PMDB dele estão mesmo se sentindo como jogadores numa barreira na iminência de receberem um bolaço metafórico. Esta é uma explicação pouco plausível. É impossível imaginar de onde viria o bolaço. Não há qualquer ameaça na frente desse grupo, nada engatilhado, sequer uma cara feia. Dos três possíveis candidatos a atrapalhar a vida deles, um tinha acabado de ser humilhado pelo seu próprio partido, outro está em crise existencial e o terceiro passa metade do seu tempo tentando convencer que não é o Collor, que o Collor é um pouco mais alto. Há o desemprego, a recessão, as falências, a falta de saúde pública, os sem-terra, os sem-teto, o caos na educação, na agricultura e no orçamento dos servidores civis, mas nada disso é no Brasil. Pelo menos não no Brasil visitado pelos pesquisadores da opinião pública, que continua dando ao presidente um grau de aprovação só comparável ao do Médici na sua época.

A sexta explicação, a de que o gesto precavido dos fotografados se deve a uma autocrítica inconsciente, ao sentimento culpado de que de algum lugar virá um bolaço merecido é, claro, a menos plausível de todas.

DECISÃO POLÍTICA

Pegou mal. Não foi ninguém ali na esquina, nem você ou eu. Foi o nosso presidente quem disse. O próprio Michel Camdessus, que acumula o cargo de diretor-gerente do FMI. Ele disse que o Brasil está nesta enrascada porque o presidente que o antecedeu, Éfe Agá, preocupou-se mais com a sua própria reeleição do que em fazer o que precisava ser feito. O Plano Real foi, como o Plano Cruzado, sacrificado por interesse eleitoreiro e morreu por falta de decisão política. Não quero fazer intriga, mas o Camdessus chamou o Éfe Agá de neo-Sarney. Eu brigava.

Mas é sempre assim: a administração que começa culpa a administração anterior pelas suas dificuldades. Se o recém-empossado governo Camdessus não der certo, sempre poderá dizer que as indecisões e os erros do governo Éfe Agá criaram uma situação insanável, na qual ninguém daria jeito. Camdessus pode ter mantido Malan na Fazenda justamente por isso, para que ninguém esqueça que a culpa vem de longe, se ele também fracassar. Não há outra explicação lógica para a permanência de Malan.

Mas eu acho curioso quando as pessoas falam, e falam muito, em "falta de decisão política" para impor programas econômicos até o fim, no Brasil. Políticos não teriam muito gosto em impor medidas necessárias mas impopulares, que exigiriam sacrifícios e os tornariam também impopulares. A falta de decisão política seria uma forma de resistência a receitas desumanas de economistas desalmados, que contrariam a índole brasileira. Como o povo brasileiro não tem feito outra coisa senão se sacrificar por repetidos programas econômicos que mudam quase nada, como a emergência social brasileira cresce em vez de ser atenuada por uma sensibilidade política qualquer, mesmo oportunista, como o bolo nunca aparece para ser dividido e como os políticos estão cada vez mais impopulares de qualquer jeito, temos todo o direito de pensar que o que tem havido não é falta mas excesso de decisão política. Só que errada e inútil.

Mas o Camdessus recém começou e merece um período de confiança e boa vontade. Afinal, o Éfe Agá teve quatro anos.

OUTRO MISTÉRIO

Repetiu-se em Brasília o mistério da final da Copa na França. Esqueça o Ronaldinho. O que houve com o Éfe Agá? O que explica o seu fraco desempenho justamente no momento em que mais se esperava dele? O discurso chocho, as palavras mal articuladas, o desânimo? A ponto do ACM, como um Dunga auto-investido, ser obrigado a tentar animá-lo aos gritos? Meu Deus, até o *Estadão* notou.

Como no caso do Ronaldinho, nunca saberemos o que realmente aconteceu. Que drama se desenrolou nas horas que antecederam a entrada do presidente no Congresso para ser empossado pela segunda vez. Será verdade que o doutor Lidio Toledo foi convocado às pressas, dada a sua experiência no caso anterior, e embora encontrasse o Éfe Agá dizendo coisas desconexas, como a ênfase do seu segundo mandato na área social, quando se sabe que para fazer o ajuste ordenado pelo FMI a área social será a mais sacrificada, receitou apenas um chazinho e bolacha maria?

Quando se certificaram que Éfe Agá não sabia o que dizia e pensava que estava sendo recoroado rei da Noruega, mandaram mesmo localizar o Marco Maciel – o que é sempre difícil, a não ser que ele esteja contra a luz – e prepará-lo para substituir o Éfe Agá na hora do discurso e da posse, só havendo o temor que, como o PFL nunca larga o poder, o Maciel saísse correndo abraçado à faixa nova, com o PMDB e o PSDB correndo atrás?

E o boato que Éfe Agá fez o discurso de qualquer maneira por exigência dos seus patrocinadores internacionais?

E o que no fundo, no fundo, tudo tem alguma coisa a ver com a Suzana Werner?

Nunca saberemos.

HORA DA DECISÃO

Chega um momento na vida em que você precisa tomar uma decisão definitiva, e o que ela definirá será você. Não se trata de uma escolha qualquer, vou ou não vou, canto ou não canto, digo ou não digo. Você não está apenas se perguntando se ousa comer um pêssego, como no poema do Eliot. Não é como se fosse escolher uma gravata entre muitas. De certa maneira, é como se fosse escolher um você entre muitos.

Certas escolhas definidoras você já fez, muitas vezes sem pensar. Você começa a fazer a barba sempre pelo mesmo lado, você é dos que cortam o queijo em cunhas em vez de nacos, você abotoa a camisa de baixo para cima e não de cima para baixo, você risca o fósforo pra lá em vez de pra cá etc. Não foram escolhas conscientes, mas são escolhas irreversíveis. Um abotoador de camisa norte-sul jamais se transformará no contrário. Mas sempre chega o momento da escolha consciente. Você examina as alternativas e decide: eu quero ser isso. Pelo resto da vida.

O Éfe Agá se aproxima de um desses momentos. Se ele vetar a extensão da vigência da lei que permitirá à Ford se instalar na Bahia com tudo pago, votada pelo Congresso, estará fazendo a coisa sensata, impedindo um casuísmo flagrante e um desrespeito com o Mercosul e, principalmente, dizendo que não tem medo do ACM. Se sancionar a lei, a única coisa que tem a fazer em seguida, para ser coerente, é mandar um projeto ao Congresso mudando a Constituição e determinando que seu substituto legal é o presidente do Senado, e depois passar o cargo e ir para casa. ACM, então, governaria o país sem intermediários.

A hora é agora. Segundos fora. Éfe Agá tem a oportunidade de mudar sua biografia. Desafiar o ACM pode ser um suicídio político, ou pode ser o começo da sua redenção. Fugir do confronto será a desmoralização, também definitiva. Resta saber quem o Éfe Agá decidiu ser.

REFÉNS

O extraordinário discurso com que Éfe Agá anunciou seu ministério de reféns, com ministros que só serão ministros enquanto seus partidos obedecerem ao governo, ficará como um marco na evolução dos costumes políticos brasileiros. Quando o Ricúpero disse, em outras palavras, que não se pode governar com muitos escrúpulos, não sabia que tinha um microfone aberto. Quando Passarinho mandou os pruridos de consciência às favas e o Mendonça descreveu a tramóia das privatizações com dinheiro público, eles não sabiam que estavam sendo gravados. E Delfim nunca chamou sua própria missão de aética num discurso oficial, que eu saiba. Éfe Agá falou publicamente, sem qualquer escrúpulo, prurido ou reticência ética, que tinha formado não um gabinete dos melhores mas dos politicamente mais rentáveis, já que a única linguagem que o Congresso entende é a da chantagem. Você pode ver o discurso ou como um franco e pragmático ataque à hipocrisia, já que ele só disse o óbvio, ou como a elevação do fisiologismo ao nível de um princípio de Estado. De qualquer maneira, pela explicitação do indizível ou pela degradação final, nossos costumes políticos foram alterados esta semana. O estilo Éfe Agá de governar começa, afinal, a fazer uma diferença. Só não sei se era exatamente este o legado que ele pretendia deixar, o de ter eliminado qualquer respeito pela classe política e pelo diálogo elevado entre os poderes até do discurso oficial, até do faz-de-conta. Este ministério de reféns é a maior demonstração de desprezo de um poder pelo outro da nossa história republicana, salvo quando o desdém do Executivo foi ao ponto de declarar o Congresso dispensável.

***

O FMI deu dinheiro à Nicarágua, a Honduras e ao Brasil para reconstruírem suas economias depois do estrago causado por furacões. A diferença é que no Brasil o furacão foi reeleito.

COTAS

Já se tem uma idéia do que aconteceu nos bastidores da escolha do novo ministério. Os líderes da coligação reuniram-se para o acerto final e, é claro, houve discussões sobre o número de pastas que caberia a cada partido. Era importante manter um equilíbrio entre as forças governistas mas os representantes partidários naturalmente defenderam um peso maior para suas respectivas siglas, e a negociação chegou a esquentar.

– Espera aí um pouquinho. O PFL está com ministérios demais!

– Qual é o problema?

– O problema é que assim não dá. E nós do PSDB?

– Vocês ficaram com a Saúde, com a Educação e com a maioria dos cargos e ainda se queixam?

– Se alguém tem que se queixar é o PMDB, que só ficou com dois.

– E o PPB? Continua só com um ministério. E o da Agricultura, que não faz nada. É isso que nós ganhamos pelo apoio do Maluf?

– Proponho que se examine a lista outra vez e se tente fazer uma distribuição mais justa.

– Eu apóio.

– Vamos lá.

– Este cargo aqui, por exemplo. Não sei por que tem que ser do PSDB.

– E quem disse que ele é do PSDB?

– E não é?

– De qualquer maneira, esse é imexível.

– Por quê?

– Duas razões. Em primeiro lugar, presidente da República, tecnicamente, não é cargo de ministério.

– E a segunda razão?

– O Fernando Henrique é da cota do ACM.

– Não se fala mais nisso.

SCONES

Devem ter sido os *scones*. Os bolinhos que servem com o chá, e que você pode comer com manteiga, geléia ou chantili. Os *scones* são símbolo da domesticidade inglesa. Em torno dos *scones* os ingleses ficam, paradoxalmente, menos britânicos e até a rainha baixa, por assim dizer, a sua guarda. Quando viu que a rainha tinha tirado os sapatos, Éfe Agá afrouxou sua gravata. E os dois puseram-se a falar sobre o poder e seus confortos.

– É bom, nénão? – disse Éfe Agá, ou o equivalente em inglês perfeito.

– Ah, é – disse a rainha. – Se bem que eu tenho cada vez menos poder...

– Quié isso, Vossa Alteza?

– Pode me chamar de Vossa.

– Quié isso, Vossa? Você tem o que mais interessa no poder.

– A pompa? A circunstância? Os *scones* sempre quentinhos?

– A perenidade, Vossa. E a certeza da continuidade. Você literalmente fez o seu sucessor. Eu só pude fazer o que mais se aproxima disso, sem a necessidade de cirurgia. Garanti que eu mesmo me sucederei. Meu príncipe herdeiro sou eu. Mas, e depois? A nossa

Constituição só permite que eu me suceda uma vez, o que interromperia minha linhagem. Se bem que a experiência tem me ensinado que a Constituição é como "A Voz do Brasil": a maioria não liga. E eu tenho a maioria. Mas veja, Vossa, a que sou obrigado. Além do meu próprio Charles, tenho que ser meu próprio Tony Blair. Eu sempre disse que o mundo desperdiça energia demais não sendo inglês.

– Mas ouvi falar que um tal Ei Si Em...

– ACM? Ele também quer fundar uma dinastia, mas isso se deve ao seu estado, uma forma de megalomania que no Brasil chamamos de *Baía*. Muito diferente da minha, perfeitamente justificável, já que sou um dos últimos exemplos de monarquia absoluta no mundo, hoje.

Nisso, a rainha interrompeu a conversa para pedir mais *scones*, mas o mordomo informou que a cota do dia estava esgotada e ele tinha ordens do Parlamento para não servir mais.

– Viu só? – suspirou a rainha.

DEFESA

Atenção: vou elogiar o governo. Deve ser o espírito de Natal. Com a criação do Ministério da Defesa, a tão anunciada modernização do Estado brasileiro pelo Éfe Agá finalmente saiu da retórica para entrar na História. É verdade que veio junto com outra novidade histórica: o primeiro ministério da República declaradamente montado para a barganha. A primeira vez em que a intenção fisiologista de um ministério não apenas é oficializada mas é enfatizada num discurso presidencial, e em tom de ameaça. Não há precedente para o anúncio do ministério dá-ou-desce feito pelo Éfe Agá. Em vez de escolher os mais capazes para cada pasta, disse o presidente à nação, tinha escolhido reféns. Como um seqüestrador ao contrário, declarou que só ficará com eles se seus partidos derem o que ele quer. Mas como estas coisas antes eram feitas mas não ditas, talvez isto também represente um progresso, como o Ministério da Defesa. A chantagem política saiu do implícito e entrou na retórica.

Mas eu ia elogiar. Mesmo que ele ainda não seja o que se pretende, a criação do Ministério da Defesa é um passo importante para um país mais adulto. No mínimo, vai forçar uma repensada do papel das Forças Armadas em nossas vidas. Como marco do "fim de uma era", simbólico ou não, vai permitir que se discuta o que, afinal, essa entidade meio abstrata, meio real demais, "os militares", significaram, fizeram e quiseram fazer e não puderam na nossa história. Um dia se poderá ver de outra perspectiva, por exemplo, o nacionalismo exacerbado que poderia ter nos levado por outro caminho, para outro modelo, se não fosse sempre tão identificado com a direita militar e os seus simplismos. Seja como for, o fato de não haver mais ministros de quepe é um avanço para ser festejado. Olha aí, Éfe Agá, parabéns. Mas não se acostume.

O século americano

SEXO E BOMBAS

Clinton é o primeiro presidente americano desde Carter que não bombardeou ninguém – o que é mais uma prova do efeito salutar do sexo sobre as pessoas. Esteve perto de bombardear o Iraque, e há sérias indicações de que se não fossem as visitas constantes de estagiárias ao seu gabinete oval ele não teria concordado tão rapidamente com o plano da ONU para evitar o ataque a SaddamHussein, o único homem do mundo que pode dizer que deve sua vida ao sexo oral.

É verdade que a relação de libido insatisfeita com uma vontade de bombardear os outros não se comprova no caso de Kennedy, que teve as duas coisas, sexo ininterrupto e bombardeios. Mas o sexo deve ter contribuído para o seu pouco ânimo em apoiar a invasão da Baía dos Porcos e para a solução da crise dos mísseis soviéticos em Cuba sem que um símbolo fálico precisasse ser disparado. (O livro *O lado negro de Camelot*, que a L&PM lançou, conta muita coisa sobre a atividade sexual de Kennedy, mas não conta que ele gostava de transar numa banheira e que um agente do serviço secreto tinha ordens para mergulhar a cabeça da sua parceira na água na hora do clímax, porque o susto provocava uma contração vaginal na moça.

Inconfidência do Gore Vidal, que ninguém queira ter como inimigo. Ou, pensando bem, amigo.)

O mundo lamentou que Johnson e Nixon não se contentassem em atacar estagiárias e nem dá para calcular o que uma boa amante para o Kissinger teria salvo de vidas no Sudoeste Asiático. Reagan nunca conseguia encontrar o quarto de Nancy e se vingou nos outros e Bush foi, dos antecessores de Clinton, o que mais acreditou que a guerra é o sexo por outros meios, e a praticou com entusiasmo de adolescente. Benditas mulheres do Clinton, portanto. O que elas fizeram pela paz mundial ainda está para ser devidamente reconhecido.

DEPOIS DO CINISMO

O contrário do antiamericanismo primário é um pró-americanismo inocente que aceita todas as presunções dos Estados Unidos a seu próprio respeito. Em matéria de política internacional, isso inclui concordar que os americanos têm uma missão no mundo, de inspiração divina e portanto indiscutível. Todos os povos cultivam seus mitos de excepcionalidade, mas é inédita, na História, essa pretensão americana a ser uma potência moral, que só deve contas à sua própria noção de superioridade e manifesto destino evangelizador. Inédito também é o grau de submissão da periferia aos mitos autocongratulatórios da metrópole. Faltou a Roma uma boa indústria da informação e do entretenimento para garantir a adesão incondicional das mentes da sua época, e o seu domínio eterno. Roma era os Estados Unidos sem a ética protestante e sem o Jack Valenti.

Não são a hipocrisia americana e o seu sucesso entre pró-americanos ingênuos que assustam. A hipocrisia pelo menos é uma coisa sensata. Pode-se discutir como adultos o interesse econômico disfarçado de cruzada moral e as razões de império por trás do salvacionismo e das frases pias. Ou o salvacionismo seletivo, que concentra a indignação e as bombas num demônio providencial e esquece causas menos convenientes. Nada mais antigo e compreensível. Assusta mesmo é quando nem os americanos nem os seus defensores estão sendo cínicos. Quando acreditam mesmo que sua missão especial na Terra dá aos Estados Unidos o direito de usarem a força para fins que desafiam, muitas vezes, não só a lei internacional como o bom senso, pois como podem os fins de uma potência incomum serem julgados pela lei ou o senso comuns?

Só essa isenção tácita dada aos Estados Unidos para exercerem seu ineditismo no mundo, para serem Roma e os bárbaros ao mesmo tempo e evangelizarem os outros à sua imagem a foguetaços, explica a inacreditável guerra na Iugoslávia. Até certo ponto, é uma guerra lógica, ou que serve a diversas lógicas, desde o interesse americano em manter o controle de uma Europa unida, através da Otan, até a vontade de países como a França e a Rússia de ressurgirem da sua irrelevância política e diplomática, passando pelo enternecedor entusiasmo de escoteiro do Tony Blair pela guerra. Sem falar na lógica terrível dos Bálcãs e das suas etnias furiosas. Mas quando termina a lógica, e as razões cínicas, fica a licença dada aos americanos para serem o que eles se imaginam e cumprirem a sua missão, mesmo que algumas bombas humanitárias errem o alvo. E ninguém pode dizer que eles não pedem desculpas.

A GUERRA DAS VERSÕES

Quando Bagdá foi bombardeada pelos americanos sob as câmeras da CNN, a velha máxima de que nas guerras a primeira vítima é sempre a verdade parecia ter perdido a validade. Servia para a era dos "despachos do *front*", não para a era da cobertura instantânea pela TV. O jornalista americano Edward R. Murrow ficou famoso transmitindo de Londres durante os bombardeios alemães, na Segunda Guerra Mundial, mas ninguém podia ter certeza de que os ruídos que se ouviam no fundo eram bombas mesmo ou sonoplastia. Em Bagdá, Bernard Shaw podia estar debaixo de uma mesa, mas as câmeras pegavam as explosões, o fogo antiaéreo, tudo, e tudo era real. Depois, as reportagens de Peter Arnett da cidade bombardeada pareciam confirmar que se inaugurava uma nova era de jornalismo objetivo, impressão que durou só até os primeiros protestos no Congresso americano contra a imparcialidade de Arnett, que estaria servindo à propaganda do ogro Saddam. A CNN recuou e as autoridades militares americanas mostraram que tinham aprendido a lição do Vietnã, quando a informação descontrolada acabou virando a opinião pública contra a guerra. A objetividade da admirável imprensa americana continuou na medida do possível, na guerra do Golfo, mas quem dava as medidas eram os porta-vozes militares. E coisas como o massacre desnecessário de tropas iraquianas em retirada do Kuwait, na estrada para Basra, que eu li descrito no *London Review of Books* como uma das maiores atrocidades de guerra do século, nem chegaram à grande imprensa.

A guerra da Iugoslávia também se transformou numa guerra de informações. Nada mais apropriado que o século de Goebbels e da informação arregimentada pelo Estado, do cinema e da TV e da informação massificada pela técnica, e das relações públicas e da informação banalizada pelo comércio – sem falar na informática – acabe numa guerra de informações. Se o século da informação universal nos ensinou alguma coisa, foi desconfiar. Com tantas versões no ar, a questão acaba sendo não qual é a verdadeira, mas qual é a conveniente para quem. A Otan está reunida em Washington para acertar a verdade que lhe convém. Já começam a falar na reconstrução do que está sendo destruído na Sérvia e em Kosovo. Trata-se de uma reunião de RP.

Um PS: Peter Arnett acaba de ser despedido pela CNN. Parece que se meteu em outro caso de objetividade inconveniente.

SEM RODEIOS

Há sempre um pior do que a gente. Nunca faltará alguém do outro lado da cerca, da fronteira ou do mundo para nos consolar com a sua desgraça maior. Em vez de ficar aí lamentando o nosso Banco Central e as suas ligações perigosas, pense na Rússia e alegre-se. Lá descobriram que o Banco Central investia secretamente no exterior, ou trazia dinheiro investido no exterior para aplicar clandestinamente no mercado interno a taxas quase brasileiras, e que a maior parte dos lucros destas operações sumiu. Bilhões de dólares desapareceram em bolsos anônimos sem deixar vestígio. O Parlamento russo quer uma investigação criminal do BC deles mas não tem por onde começar porque não encontram um vintém pederasta para tirar impressões digitais. Não é de esquentar o coração?

Marxistas ortodoxos costumavam dizer que o comunismo fora um engano na Rússia, onde só podia sobreviver como paródia. Há quem diga que a própria Rússia é uma paródia da humanidade, que lá todas as emoções e calhordices humanas existem em estado de exagero cômico. O que, claro, é um exagero. Hoje invocam a tese de que o problema russo é de caráter para inocentar os teóricos do mercado livre, já que o atual fracasso é um produto tanto de Chicago, Harvard e FMI quanto do comunismo anarquizado. Depois de desmoralizar o socialismo, a Rússia estaria seguindo seu destino parodístico e reproduzindo o capitalismo como farsa. Mas se o capitalismo é uma forma de gangsterismo controlado, só o que os russos fizeram foi esquecer o controle. Estão dando ao mundo uma visão da nova ordem mundial pretendida, a da ganância esclarecida, apenas sem os pruridos e os bons modos. Dinheiro roubado da sociedade direto no bolso de uma gangue de poucos, sem rodeios. Pense no que acontece no Brasil sem as explicações razoáveis do BC, as razões amáveis da equipe econômica e a retórica de terno branco do Éfe Agá – enfim, sem os rodeios – e você estará pensando na Rússia.

CRIME E ERRO

Pior do que um crime é um erro, como disse quem a respeito do que mesmo? Sei que foi no século 18. Quem não se comove com o crime do bombardeio da Iugoslávia deveria se indignar com mais este erro da política externa troglodita dos Estados Unidos. Os americanos não aprendem com seus repetidos fiascos, como a Baía dos Porcos, a invasão do Panamá para prender o Noriega na maior e mais sangrenta batida policial da História, a intervenção na Somália, que deixou a situação pior do que era, e as guerras contra o Iraque que só aumentam o prestígio do Saddam, sem falar nos bloqueios econômicos que castigam populações inteiras por nada muito prático, por um sentimento menor de represália. Agora, conseguiram unir a Iugoslávia atrás do lamentável Milosevic e criar uma tragédia humana em Kosovo e arredores que não se resolverá tão cedo. A única potência do mundo precisa mostrar seus músculos de vez em quando, não importam as vítimas e, afinal, a indústria bélica americana, o último exemplo de keynesianismo aplicado em grande escala no planeta, ajuda a manter a economia do país funcionando em alta. Clinton foi o primeiro presidente na história dos Estados Unidos que deu mais verbas para os militares gastarem com armas americanas, já que nessa categoria eles não têm competidores no mundo, do que os militares tinham pedido, ao mesmo tempo que cortava verbas de programas sociais com o entusiasmo de um Clóvis Carvalho. Da próxima vez, Monica, morde. Mas a Europa, que está crescidinha, já poderia ter aprendido a não acompanhar a truculência juvenil americana. Se não por repúdio ao crime, então por frio auto-interesse em não errar junto com os trogloditas. Há uma clara preocupação americana em reforçar a nova e ampliada Otan sob seu controle como contrapartida militar a uma Europa politicamente unida e potencialmente independente. Seria a lógica por trás da ilógica americana – no caso, tão simplista quanto a diplomacia de foguetes.

A melhor definição dos Bálcãs que já li é a de um lugar onde a geografia se move e a História fica parada. Este século começou com uma guerra que nasceu da inconstância geográfica dos Balcãs e está terminando com as fronteiras ainda indefinidas e a repetição da mesma velha história – só que, desta vez, com mísseis e computadores. Dizem que estão apressando a Terceira Guerra Mundial antes que venha o *bug* do milênio e a torne impossível.

ONIRICÍDIO

Ninguém tem o direito de fazer filosofia negra em Paris, ainda mais com este sol, mas eu estava pensando em como o século se encaminha para um final imprevisto e infeliz. Ele vai terminar como começou, com problemas nos Bálcãs e com a humanidade longe das suas melhores intenções. Este foi o século das boas intenções derrotadas.

A bela intenção de uma comunidade mundial gerida para a paz e o entendimento, que começou com a Liga das Nações, depois da carnificina da Primeira Grande Guerra, não sobreviveu às sucessivas desmoralizações das Nações Unidas, culminando com a sua completa irrelevância na crise da Iugoslávia, quando as bombas de fragmentação substituíram o debate racional sem que a ONU fosse sequer consultada. Depois de Kosovo, as Nações Unidas podem começar a pensar seriamente no arrendamento da sua sede em Nova York para a rede Hilton.

A idéia de uma consciência comum de humanidade substituindo o nacionalismo e a divisão racial acaba com o mundo cada vez mais tribalizado, e com as tribos cada vez mais ferozes. O século que era para ser o da realização dos ideais iluministas pela ciência e pela razão acaba como o século dos fundamentalismos em guerra. Só o que se internacionalizou mesmo foi o dinheiro.

A generosa intenção igualitária, posta em prática depois da revolução comunista nas Rússias, não sobreviveu às suas contradições no poder e ruiu como um muro malfeito. Você pode argumentar que o socialismo real nunca existiu e que esta boa intenção foi derrotada pela estupidez humana, que não tem ideologia, mas uma ilusão real sobre a capacidade humana para o altruísmo morreu com a frustração comunista. Nenhum sonho solidário da espécie chegará inteiro ao ano 2001. A idéia do egoísmo e da ganância como os únicos propulsores humanos é a única que acabará de pé no fim deste século oniricida.

Até aqueles colegiais americanos metralhando quem os incomoda sinalizam o fim de uma ilusão, a mais banal ilusão do século: a de que quando fôssemos todos americanos, bem-alimentados e saudáveis, com acesso a todas as vantagens e os brinquedos de uma sociedade próspera e jovial, estaríamos satisfeitos, ou pelo menos perto de uma satisfatória normalidade universal, como a definiu o século americano. E não na companhia de monstros. O sonho americano também chega cambaleando ao ano 2001, crivado de balas.

Enfim, é de se esquecer tudo e pedir o melhor *bordeaux* da casa. Mas com que dinheiro? Outra boa intenção derrotada pela realidade.

O HOMEM DO SÉCULO

Temos tido *trailers* da primavera parisiense nos intervalos da chuva. Amostras do que está por vir, assim que o inverno encontrar o seu cachecol, botar na mala e ir embora. O inverno está custando a ir embora.

A França é uma espécie de Iugoslávia meteorológica onde inimigos históricos, o clima do Mar do Norte e o clima do Mediterrâneo, lutam por território e poder, e é na primavera que as batalhas se intensificam. No domingo, o Mediterrâneo parecia ter consolidado suas posições em torno da capital, acabado com todos os focos de resistência e tomado Paris, mas à noite o Mar do Norte contra-atacou com tudo. Hoje, o dia está feio mas não chove e a temperatura aumentou. Tudo indica que houve uma trégua. A população sai cautelosamente à rua, acenando com roupas leves mas com o guarda-chuva engatilhado. Não é verdade que Paris é cinzenta no inverno mas na primavera tudo muda e ela fica cinza-claro. Esta é uma das cidades mais coloridas e florescentes do mundo. É só lhe darem uma chance de vez em quando.

Há um imenso relógio eletrônico na Torre Eiffel marcando os dias que faltam para a chegada do ano 2000 e toda vez que eu vejo o relógio penso no marechal Tito, e já me explico. Nem preciso ver o relógio. A ponta da Torre Eiffel já me faz pensar no marechal Tito. O Guy de Maupassant gostava de almoçar na Torre Eiffel porque dizia que era o único lugar em Paris em que você podia olhar todo o horizonte sem o perigo de ver a Torre Eiffel. Ver a Torre Eiffel é uma fatalidade para quem está em Paris. O que quer dizer que tenho pensado muito no marechal Tito. Porque quando 2000 chegar e você e outras pessoas normais estiverem pensando em comemorações ou no apocalipse, os jornalistas estarão pensando em retrospectivas. E é difícil imaginar que o escolhido como estadista do século e talvez do milênio não seja Tito. Quanto menos dias faltam para fazer as retrospectivas e quanto mais piora a situação nos Bálcãs, mais cresce a cotação do marechal, que não só desafiou Stalin e o poder central soviético e fez seu socialismo independente na Iugoslávia como conseguiu manter todos aqueles fanáticos unidos e convencidos de que eram uma nação, durante anos. Ou como líder ou como mágico, foi o homem do século.

A CRISE DO PLANO B

O Plano A era começar a bombardear Belgrado e em poucos dias forçar Milosevic a acabar com a perseguição dos albaneses em Kosovo e respeitar os acordos sobre a região. O Plano B era, era... Não havia Plano B. Os estrategistas do Departamento de Estado americano não tinham pensado na possibilidade de o Plano A não dar certo. Os generais da Otan não tinham nenhum plano de contingência, já que nenhuma contingência fora imaginada. Os presidentes da Otan se reuniram em Washington e improvisaram um Plano B em cima da perna: o Plano A, mais um pouco. Ninguém tinha previsto que os bombardeios iriam agravar a perseguição, provocar a trágica maré dos refugiados e unir os sérvios atrás de Milosevic. Faltou a proverbial criança de três anos para avisar aos truculentos donos do mundo o que ia acontecer. Agora estão todos atrás de uma saída que os redima do fiasco.

Há dias um *sommelier* aprovou minha escolha de um vinho dizendo que ele era *trés souple* – o resto da frase consoladora, "apesar de tão barato", ficou subentendido. Aposto que ele diz isso para todos. Mas *souple* é uma palavra que não significa nada e significa tudo, uma daquelas palavras típicas de *sommelier* que os americanos gostam de invocar para satirizar o refinamento francês. Um comentarista do *Liberation*, escrevendo sobre a confusão de objetivos da Otan na Iugoslávia, disse que a estratégia americana não se adequava à *souplesse diplomatique* necessária para tratar a situação extremamente complexa dos Bálcãs. Quando ouvem falar em *souplesse diplomatique*, os americanos sacam o seu helicóptero Apache. Mas seja qual for o significado que se der a *souplesse* – sutileza, engenho cuidadoso ou, em bom português, *savoir-faire* – ela, e não o primarismo americano, deveria ter informado o Plano A. Bombardear alvos civis e matar gente inocente deveria ser sempre o Plano Z.

No Brasil, também vivemos uma crise do Plano B. Segundo o Éfe Agá, nem o Banco Central nem o governo tinham um Plano B para mudar a política cambial, uma vez provado que o Plano A, como a monoestratégia da Otan, só destruía. Em vez de um simples ajuste de objetivos, foi preciso fazer aquele carnaval de janeiro, cujas repercussões ainda nos assombram. Tudo por falta de um Plano B.

OS FOGUETES DO PRESIDENTE

A melhor maneira que um presidente americano tem de unir a nação em seu apoio é mandar bombardear alguém sem a formalidade de uma declaração de guerra. Nada entusiasma tanto os americanos e ajuda a resolver as divisões internas do país como um bom ataque ilegal a outro país.

A atual divisão interna nos Estados Unidos, entre os que acham que o presidente Clinton e sua libido predadora devem ser corridos da Casa Branca e os que acham que seu castigo não deve chegar a tanto, é sobre sutilezas jurídicas. Sexo sem penetração é "relação sexual", e nesse caso o presidente cometeu perjúrio, ou o que houve foi apenas uma impropriedade e se a Hillary já o perdoou, por que a nação não pode fazer o mesmo? A questão envolve nuances de interpretação constitucional e o fato de o poder de um presidente estar sujeito, a este ponto, a pormenores legais causa espanto e admiração em todo o mundo. Que estranho e admirável país em que o agravo amoroso de uma cidadã, com os recursos da lei – e desde que seja politicamente conveniente, claro –, tem a força de um golpe de Estado. A lição do caso é que o presidente dos Estados Unidos só dispõe do seu pênis dentro dos limites, declarados ou implícitos, da lei.

Já os foguetes do presidente não se sujeitam ao mesmo rigor legal. A Constituição dos Estados Unidos proíbe explicitamente atos de agressão contra outro país sem a permissão formal do Congresso mas, que diabo, não se pode pedir autocontrole a adultos saudáveis numa hora destas e, afinal, a "vítima" estava pedindo. Nenhuma restrição ao uso ilegal de foguetes parecida com a indignação contra o pênis fora da lei foi invocada pela oposição. Talvez porque o pênis foi usado perto do Salão Oval e os foguetes no Afeganistão e no Sudão, apesar de, presumivelmente, também terem deixado muitas roupas manchadas. O bombardeio do centro de Khartoum, feito com a tal "precisão cirúrgica" tão mortal que já devia ter provocado um protesto internacional dos cirurgiões, foi em represália aos ataques às embaixadas americanas na África. Represália perfeita, já que foi um ato na mesma escala de terror.

O NOME ERRADO

Nos Estados Unidos, chamam felação de *blow job*, por alguma obscura razão, já que o trabalho é o contrário de assoprar. Uma das questões técnicas que podem decidir o futuro da administração Clinton é se você está tendo relações sexuais com quem "assopra" o seu pênis ou se é o mesmo tipo de relação que você tem, por exemplo, com um engraxate.

É muito americano isso de chamar a coisa – ou, no caso, o que se faz com a coisa – pelo seu contrário. Por isso, a última crise do presidencialismo americano ter como base a conceituação de um ato com nome errado é simbólica. O próprio Clinton, o democrata mais republicano que já chegou à Casa Branca, é um exemplo de má definição, ou de má observação do que está sendo feito. O ódio que a extrema direita tem dele é só pouco maior que o desprezo da velha-guarda democrata, que não perdoa sua traição a princípios e bandeiras do partido. A esquerda americana, com tão pouca eficiência e audiência quanto a esquerda brasileira enfrentando o oba-oba oficial, denuncia que a euforia atual com a economia do país em termos de ganhos reais para o trabalho, distribuição de renda etc. não se justifica e que lá o "social" também está apanhando. Enfim, insiste que o *blow job* de Clinton na economia não merece este nome.

Há anos que os americanos são os campeões mundiais da livre empresa ao mesmo tempo que mantêm sua base industrial contente (e livre de estrangeiros por questões de segurança nacional) com a aplicação de um keynesianismo militar em grande escala. Os maquiados subsídios do governo americano à sua indústria de armamentos – que inclui a fabricação de crises militares de tempos em tempos, pela mesma lógica com que os bares servem amendoim salgado para manter a sede dos clientes num nível lucrativo – são, mesmo, o mais bem-sucedido exemplo prático na História das teorias de Keynes sobre a intervenção do Estado na economia, anos depois do keynesianismo morrer oficialmente. Outro caso em que, digam o que disserem, o que estão fazendo decididamente não é assoprar.

O CHARUTO E O DIREITO DIVINO

Alguém com gosto pela hipérbole e pela simplificação histórica poderia dizer que a publicação oficial do que o Clinton fazia com o seu charuto na moça representa o triunfo final do ideal republicano. Não o ideal do Partido Republicano americano, de pegar Clinton de qualquer jeito, mas o que nasceu na Grécia, passou pela gloriosa revolução parlamentarista inglesa e parecia ter chegado ao seu clímax com a decapitação de Luís XVI, em 1793. O fim do direito divino dos soberanos acabou mesmo na semana passada, em Washington. O verdadeiro clímax da longa revolução republicana deixou uma mancha no vestido de Monica Lewinski, cujo nome se junta ao dos seus protomártires para a eternidade. A monarquia que resistiu, mesmo como simulacro ou farsa, aos desafios das armas e do ridículo e até às conversas gravadas do príncipe Charles finalmente entregou sua última cidadela, a da intimidade privilegiada, ao inimigo. Talvez estivesse faltando a invenção da Internet para que as forças republicanas ganhassem seu aliado definitivo, a indiscrição universal, a vulgarização de tudo pela técnica, e terminassem seu serviço.

Na última paródia operacional de monarquia que é o presidencialismo imperial no estilo americano, o direito divino sobrevivia na aceitação tácita, pelos súditos, de que ser rei era uma maneira de se comer quem se quisesse. Kennedy, supostamente, foi o último presidente americano a aproveitar esta licença implícita. Nixon não era do tipo, Carter muito menos, Reagan não conseguiria achar o próprio zíper, de Bush pouco se sabe nesse setor. Quando Clinton quis exercer seu direito presumido, literalmente não sabia em quem estava se metendo. Não importa que o que esteja acontecendo seja um golpe da direita para derrubá-lo, e que o golpe talvez dê certo. (Não adiantará Clinton dizer que não tragou no charuto molhado.) O que Monica fez é parte de uma luta mais antiga.

INTOLERÂNCIA

Tem aquela piada: não sei se o cara é veado ou é inglês. Que só mostra um lamentável preconceito contra as boas maneiras e a locução aristocrática. Todo inglês acima de uma certa classe é, assim, meio afetado. É por isso que existem os escândalos sexuais no gabinete: o escândalo é a única maneira de se ter certeza que o cara é guei, porque pelo jeitão ele pode ser apenas graduado em Oxford. Diziam que havia um teste no Itamaraty. Folclore, claro. Deixavam o candidato a diplomata sozinho numa sala com um corte de veludo grená e ficavam olhando sua conduta através de um espelho vazado. Se o candidato ignorasse o veludo ou apenas o apalpasse, era admitido. Se manuseasse o corte de olhos fechados, era admitido mas ficava em observação. Se colocasse o corte na frente do corpo, diante do espelho, para ver se ficava bem, era rejeitado. Na Inglaterra, o teste é o escândalo. O teste é o flagrante com o marinheiro. Se há um escândalo, o cara, comprovadamente, é. Se não há escândalo, o cara não é, ou então é cuidadoso, o que dá no mesmo.

A imprensa popular inglesa, que é a mais preconceituosa e intolerante do planeta – nada mais imoral do que o moralismo populista, olha o Ratinho – está caindo em cima dos gueis do gabinete do

Blair, invocando o perigo para a nação de uma máfia homossexual no poder. No tempo da Guerra Fria, quando o amor que antes não ousava dizer seu nome recém começava a falar claro, os gueis no governo eram um risco para a segurança porque podiam ser chantageados pelo inimigo. Hoje, qual é o risco? Fica difícil imaginar o que seria uma maneira guei de dirigir um Ministério dos Transportes, por exemplo. Fora a sinalização cor-de-rosa nas estradas, no que um ministro guei seria diferente de um ministro apenas inglês?

PODER

Se Augusto Pinochet, por algum delírio do destino, acabasse em Cuba durante a visita do papa, teríamos a reunião dos três homens sem mandato popular ou título de nobreza mais poderosos do mundo – fora, claro, o Alan Greenspan e o George Soros. O papa foi eleito pelo colégio de cardeais, Pinochet foi eleito pelos seus pares militares e Fidel Castro foi eleito pelas circunstâncias, e todos têm poder vitalício.

Pode-se discutir o grau de poder de cada um. A Igreja Católica teria todo o direito de se sentir vingada do desdém de Stalin, que um dia perguntou quantas divisões tinha o papa. Mesmo contando só com a fé e a Guarda Suíça, o Vaticano teve tanta influência na história desta metade do século quanto qualquer potência armada. Mas as exortações morais do papa são cada vez mais patéticas num mundo em que o egoísmo triunfa e os excluídos têm um tratamento cada vez menos cristão e, em questões como controle da natalidade, há muito nem os fiéis ouvem a Igreja. Fidel, pelo que se sabe, ainda tem controle e apoio popular na sua ilha economicamente arrasada, pela sua teimosia e pelo criminoso boicote americano, mas também é um poder absoluto no ocaso.

A conclusão é que, dos três, tem mais poder quem parece ter menos. Pinochet resistiu no comando militar do Chile, e portanto no papel de tutor implícito do governo, através da redemocratização e da condenação mundial à selvageria do seu regime, com sua empáfia e seus privilégios intocados, e agora prepara-se para ganhar o cargo e a imunidade de senador – presumo que para o resto da vida. Ao contrário do nosso Burnier e do Astiz na Argentina, que tinham seus pequenos feudos de terror, Pinochet comandou uma chacina nacional da oposição e sua impunidade ofende na mesma proporção. Se poder absoluto significa poder que não deve contas de nada a ninguém, Pinochet hoje é primeirão, o homem mais poderoso do planeta.

VISTO DE ENTRADA

A decisão dos ingleses, de que Pinochet podia ser detido na Inglaterra para ser extraditado para a Espanha e julgado por crimes contra espanhóis no Chile, além da humanidade em geral, terá conseqüências interessantes. Viagens para turismo, negócios ou tratamento em Londres serão adiadas enquanto certas pessoas tentam descobrir se fizeram alguma coisa que possa provocar sua detenção, já que o precedente está criado. Muitos tentarão se lembrar se cometeram algum crime contra a humanidade sem querer, ou algo que possa ser interpretado como crime contra a humanidade, já que o conceito – de crime e de humanidade – varia de cultura para cultura. Na nossa sociedade, por exemplo, desviar dinheiro da saúde pública para outros fins durante anos é considerado apenas um expediente contábil, mas nada impede um europeu de considerá-lo uma forma de genocídio e pedir a prisão de qualquer brasileiro com qualquer responsabilidade na prática, nos últimos governos, na sua chegada no aeroporto. Pode-se até imaginar o brasileiro se defendendo num tribunal do Primeiro Mundo:

– Mas era a rotina!

– Disseram o mesmo sobre Auschwitz...

Antigamente, nos formulários para pedir visto de entrada nos Estados Unidos, você tinha que responder se pretendia matar o presidente deles. Ninguém entendia a ingenuidade da pergunta e alguns não resistiam à tentação de responder com uma piada ("Não, e não adianta insistir" ou "Eu nem conheço o cara!"). Mas havia uma lógica maluca na pergunta. Aparentemente, se você tentasse mesmo matar o presidente dos Estados Unidos, o fato de não ter declarado sua intenção no pedido de visto teria um peso legal quase equivalente ao do rifle fumegante nas suas mãos. Além de tudo, mentiroso! Pode não estar longe o dia em que, só pelo fato de você ser da América Latina, perguntas aparentemente inocentes em cartões de desembarque na Europa, tipo "qual é a sua renda?" determinarão sua prisão ou não. Só por pertencer a determinada classe, todos serão considerados cúmplices da mesma tragédia e irão a julgamento.

TIO FIDEL

Fidel Castro é como um tio excêntrico que é convidado para as reuniões de família porque, afinal, é da família, mas ninguém sabe muito bem como tratar. As crianças recebem instruções para não rir da sua esquisitice mas também para não encorajá-lo a contar histórias e fazer aquele seu truque com o copo. Os mais velhos o toleram e, no caso de Fidel, a tolerância lhe concede uma respeitabilidade democrática que nem todos acham que ele merece. Mas não há mais perigo de ele escandalizar as senhoras ou seduzir as empregadas e, mesmo, ele estará dormindo antes de a festa terminar, provavelmente com um sobrinho-neto esparramado no colo. E só terão que encontrá-lo de novo e recebê-lo com polidez protocolar em outra reunião parecida.

Mas Fidel não é só isso. É um tio excêntrico com múltiplos significados. É um parâmetro e um aviso. Um dos subtemas não-explícitos dessa reunião no Rio é a vida possível longe dos Estados Unidos, ou perto dos Estados Unidos mas longe da submissão.

Fidel representa, ao mesmo tempo, as duas formas de viver com independência num mundo americano. Não há vida possível e você acaba virado numa curiosidade anacrônica só esperando a hora de morrer ou aderir, ou há vida possível, sim, e longa, tanto que aí está ele com suas barbas de palha e Cuba, sem a ajuda de ninguém, mantendo pelo menos sua saúde pública em níveis de dar vergonha nos nossos pseudo-socialdemocratas.

Entre os olhares de irritação ou afetuosa condescendência que Fidel recebe dos seus pares durante a reunião, deve haver um ou dois, se não de inveja, de admiração e suspirosa nostalgia. Dos que um dia acreditaram que também seriam coerentes a vida toda.

Cuba aos poucos vai se entregando. O obsceno boicote americano que os chanceleres reunidos não quiseram condenar faz os seus estragos, cedo ou tarde o país se abrirá e os dólares que já circulam clandestinamente virão em massa e o país voltará ao mercado e à normalidade pan-americana. Talvez nem esperem que o tio Fidel morra. Uma sesta mais pesada já serve.

CRIMES E CASTIGOS

De um homem de 83 anos se pode dizer que está livre de todas as retribuições pelo que fez na vida, a não ser as do seu próprio corpo. Não pagará por mais nada, salvo os excessos que praticou contra sua própria constituição. Todos os seus defeitos estão perdoados e seus crimes prescritos, no entendimento tácito de que ter 83 anos já é castigo suficiente para qualquer um. Mas Pinochet seria o primeiro a protestar que não é qualquer um. Deixou de ser qualquer um quando assumiu a liderança do golpe contra Allende. Transformou-se num símbolo, governou como um símbolo, invocou a condição de símbolo para manter seu posto e seus privilégios na "redemocratização" do Chile e como símbolo se autopresenteou com uma cadeira no Senado e imunidade parlamentar. E símbolo não tem idade. Símbolo nunca se transforma em bom velhinho, a não ser que seja num símbolo de bom velhinho, o que não é o caso de Pinochet, que daria um péssimo Papai Noel. Ele ainda pode se beneficiar de considerações humanitárias e voltar para o Chile, mas os lordes ingleses, na sua decisão histórica, o julgaram como um símbolo e possibilitaram a sua extradição como um símbolo, para responder pelo que simboliza. Pinochet, que sempre se viu como a sua própria estátua, é o único culpado por agora não respeitarem seus cabelos brancos. Deve estar com remorso. Não dos seus crimes, pois os tiranos sempre se justificam. Da sua carranca. Chorou quando foi homenageado pelo Exército na sua despedida do comando, mas ficou a idéia de que seu único sentimento humano era a autoternura. Tanto se preocupou em ser símbolo que hoje nem seus partidários mais fanáticos, na sua revolta, apelam para a defesa sentimental, a única que pode salvá-lo da indignidade de um julgamento. A que trata-se de um velho, e nenhuma justiça lhe dará uma pena maior. Vai ser símbolo até o fim.

COLONIALISMO MORAL

Quando o general Lanusse, depois de um porre, resolveu tomar também as ilhas Malvinas, não havia dúvida sobre quem eram os vilões da história. Foi outra desgraça causada à Argentina pelos seus generais de opereta. Felizmente a última, já que o vexame nas Malvinas ajudou a derrubar o regime militar. Mas você podia lamentar os generais e nem por isso torcer pela Inglaterra, aquela outra megalomania farsesca, disposta a ir à guerra para defender o último farelo do seu império. E as suas reservas de petróleo, claro. Depois se soube que a ação dos ingleses nas ilhas incluiu atrocidades e que o cruzador argentino *Belgrano* foi posto a pique mais como um ato de intimidação do que por necessidade militar, enquanto os tablóides de Londres celebravam a grande vitória sobre os selvagens *argies*. Além de defender os restos de um feio passado colonialista sem remorso, os ingleses aproveitaram para dar outra lição numa raça primitiva, como nos seus bons tempos. Calhordice por calhordice, dava empate, a não ser que você achasse a aventura argentina pior do que a recaída inglesa, ou vice-versa.

No caso da detenção do Pinochet na Inglaterra enquanto decidem se ele vai ser julgado na Espanha por crimes que cometeu no

Chile, você não precisa abandonar a festa pela perspectiva de que justiça, afinal, será feita aos torturados e desaparecidos, ou defender o Pinochet, para concordar que há uma analogia possível. Também estão dando uma lição aos primitivos. Pinochet será julgado na Espanha, se for, porque não foi julgado no Chile, porque no exótico Terceiro Mundo as coisas não acontecem como deviam. Quer dizer, não acontecem como na metrópole. Para diminuir um pouco esse aspecto de colonialismo moral, bem que o tal juiz espanhol poderia pedir a prisão de algum cúmplice metropolitano do carrasco. O Kissinger, por exemplo. Prendam o Kissinger. Foi responsável por muito do que aconteceu no Chile e, mesmo que não fosse, é um dos grandes patifes do século. Culpas é que não lhe faltam – e ele vai seguidamente à Europa. Peguem o Kissinger!

É BOM SER O REI

"I*t's good to be the king!*", dizia o Mel Brooks, no papel de um dos luíses da França, naquele seu filme sobre a história do mundo. Era ótimo ser o rei, ainda mais um rei com poder absoluto. Todas as damas da corte eram suas amantes em potencial, ele só precisava escolher o decote no qual mergulharia, sem se preocupar com o que diriam a rainha, a oposição e muito menos a imprensa. E sem se preocupar com a guarda e os criados. Em todos os filmes sobre o poder absoluto em ação, fosse no Egito dos faraós, na Roma dos césares ou em qualquer castelo medieval, não faltavam figurantes cuja única função era servir ou proteger os poderosos e fazer fundo para a cena. Acompanhavam tudo – brigas, crimes, conspirações, cenas de amor – com exemplar neutralidade, sem mudar de expressão, apenas segurando a lança ou continuando a abanar o sultão. Pode-se dizer que o poder absoluto começou a ruir na primeira vez que um desses figurantes se manifestou sobre uma cena, nem que fosse apenas arqueando uma sobrancelha. Ou fazendo uma cara de "Eu, hein?". Nem um poder divino resiste a um "Eu, hein?".

Corta para Washington. Uma das preocupações constantes de Clinton desde que começaram as revelações sobre sua vida sexual é o que dirão os seus guardas. Agora mesmo, fala-se que agentes do serviço secreto que acompanham Clinton a toda parte serão chamados a depor no caso Monica. Não se imagina que Clinton levasse os agentes junto nos seus encontros ("Pode segurar minhas calças?"), mas alguma coisa eles podem contar. O sistema presidencialista dos Estados Unidos só foi adotado aqui, no quintal dos fundos, porque nenhum outro país adulto do mundo quis ter o mesmo tipo de pseudo-rei com prazo fixo, obrigado a ser ao mesmo tempo líder cerimonial e primeiro político da nação, feiticeiro e cacique, e a viver numa paródia de poder absoluto sem as suas regalias. Como figurantes mudos e acesso implícito a todas as estagiárias. Continua sendo bom ser o rei, como o Éfe Agá não se cansa de nos lembrar, mas já foi melhor.

GARGANTA PROFUNDA

A imprensa séria americana estabeleceu padrões de independência para o jornalismo investigativo com o caso Watergate, que terminou com a derrubada do governo Nixon. Não havia muito sexo em Watergate. Já o "Zippergate", que também pode derrubar um governo, começou como uma investigação sobre os negócios do Clinton mas hoje trata apenas de sexo. Eu ia escrever "do que o Clinton faz com o seu negócio" mas me controlei a tempo. E a imprensa séria americana tem que descer aos padrões da imprensa sensacionalista para não perder o caso e a sua reputação.

O velho e sóbrio *New York Times*, que recentemente precisou fazer reuniões de alto nível para decidir se a sua seção de teatro publicava o nome da peça *Shopping and Fucking* por extenso, não pode fugir do fato que a maior questão jornalística do momento, que pode provocar uma crise institucional no país com repercussões internacionais, é: existe relação sexual quando não há penetração ou não? Felação é sexo a dois ou numa felação só um está fazendo sexo e, neste caso, qual dos dois? A discussão semântico-jurídica dominará os noticiários nos próximos dias e decidirá o futuro de Clinton, que declarou solenemente ao público americano que nunca teve relações sexuais com a Monica. Ele pode muito bem alegar que só o seu, bem, negócio estava se relacionando com a Monica, enquanto ele despachava normalmente os assuntos da nação, sem se envolver.

O *Washington Post*, outro exemplo de jornalismo respeitável, deve pensar com saudade nos tempos do caso Watergate, quando Garganta Profunda era apenas o codinome do informante dos seus repórteres, e era apenas uma metáfora.

AFINIDADES

Não sei se deu tempo para o Clinton e o Éfe Agá soltarem as gravatas e conversarem, sem protocolo, de animal político para animal político, sobre suas afinidades. Que vão além dos cabelos. Os dois são presidentes jovens (já estou na idade de achar que a adolescência vai até os setenta) e populares que devem sua popularidade a semimentiras. No caso de Clinton, uma economia saudável como nunca, com baixo desemprego e baixa inflação convivendo de forma inédita; no caso do Éfe Agá, as glórias do Plano Real, que se continuar a tirar os pobres brasileiros da miséria na velocidade anunciada vai forçar o governo a importar pobres em 98 para cumprir suas metas publicitárias. Nos dois casos a verdade semi-obscurecida é o agravamento da má distribuição de renda e a diminuição do valor real dos salários, da proteção social e do poder de barganha dos trabalhadores – e no caso do Brasil, ainda por cima, o desemprego.

Outra afinidade é que os dois são criticados por terem abandonado seus princípios e trocado coerência por pragmatismo político. Clinton é um democrata decididamente pefelista e o socialdemocrata Éfe Agá revelou-se um "republicano" no pior sentido, o americano. Mas se os dois podem se queixar do mesmo tipo de crítica, não podem se queixar do mesmo tipo de oposição. Neste quesito, as afinidades acabam e Clinton só tem a invejar o refresco que dão ao Éfe Agá. A oposição controla o Congresso americano e a imprensa faz repetidos carnavais com as acusações a Clinton. Supostas irregularidades no financiamento da campanha de Clinton dominam o noticiário local e estão sendo investigadas por uma CPI. Pode-se apenas imaginar o que oposição e imprensa fariam, aqui, com situações como as dos bancos Bamerindus e Nacional durante a campanha presidencial brasileira. Clinton talvez trocasse um pouco do seu poder por um pouco de indulgência brasileira.

Mas, enfim, são dois rapazes de sucesso e pareciam felizes.

Voando no funil

O OLHO DO FURACÃO

Repetem que o Brasil está no olho do furacão financeiro que varre o mundo, com imprecisão semântica. O olho é onde se quer estar durante um furacão. É a zona de calma e estabilidade em torno da qual os ventos rugem. Os Estados Unidos estão no olho deste furacão. O Brasil está rodopiando em algum lugar da parede do funil, junto com os outros que seguiram os conselhos dos americanos em vez de imitá-los.

Os Estados Unidos mantiveram-se no centro privilegiado de todos os redemoinhos que desestruturaram e reestruturaram a economia mundial depois do fim da Segunda Guerra em parte pelo seu sucesso em pregar uma coisa e fazer outra – a que lhe servia. O déficit acumulado por Reagan na sua gestão escandalizaria os ortodoxos do FMI, hoje, mas foi por uma boa causa: forçou a União Soviética a quebrar tentando acompanhar os Estados Unidos na corrida armamentista. No processo de acabar com o Império do Mal, Reagan reforçou o keynesianismo bélico que continuou sendo a base da indústria americana através de toda a conversa mole de desregulamentação e globalização. O complexo militar-industrial americano é a negação da retórica que tanto entusiasma os liberófilos em todo o mundo. É um negócio fechado para estrangeiros e com reserva de mercado que recebe subsídios mal disfarçados do Pentágono através de suas relações promíscuas com poucas empresas, tão poucas que pode-se acrescentar o monopolismo aos pecados típicos deste núcleo de economia dirigida que financia toda a pregação neoliberal e os cânticos ao mercado do resto. Acrescente-se a este todos os outros exemplos americanos não seguidos enquanto se segue a pregação, como a proteção à agricultura e a priorização do mercado interno, e se tem uma idéia de por que há sempre um país só, e sempre o mesmo, no olho desses furacões metafóricos, enquanto os outros voam ao redor.

ASAS DE BORBOLETA

Você pode até conceber que o movimento das asas de uma borboleta na China acabe provocando um furacão no Caribe, pois quem entende da multiplicação dos ventos ou de física? Mais difícil é entender que um ataque ao dólar de Hong Kong afete as prestações do seu ventilador. Que você perca na bolsa sem nunca ter jogado nela, ou sequer chegado perto.

Vão tentar convencê-lo que o fenômeno também é explicado pela física, pela nova mecânica dos mercados interligados, tão impessoal e incontrolável quanto a mecânica dos ventos. Que nenhuma decisão humana influiu no fato da sua vida estar tão dependente de vibrações que vêm da Ásia, ou de qualquer outro lugar. Mas havia uma escolha, e escolheram o caminho da dependência quase total da nossa economia no diáfano. No capital especulativo e volátil, no humor inconstante de operadores de mesas de câmbio que podem liquidar um país com um esbarrão do cotovelo, no instinto pelo ganho fácil de apostadores internacionais – enfim, em várias versões das asas da borboleta, com a mesma indiferença pela conseqüência dos seus gestos.

A globalização é assim mesmo, dizem eles, querendo dizer que não houve escolha errada porque não havia escolha. Globalização é comprar em Nova York blusões feitos na Malásia por menos que se compraria em Niterói, mas também significa que a qualidade de vida de quem não pode sair de Niterói para comprar blusões depende da cotação do *ringgit* em Nova York. Assim é o inevitável mundo moderno, a culpa é de ninguém, dizem eles.

Aumentam os juros para segurar os apostadores na nossa mesa. Como nem a mesa nem o apostador podem perder, o trouxa eleito para pagar é você. Além de não precisar se desculpar de nada – tudo se deve a um mercado amoral mas inescapável, aos misteriosos desígnios de Deus, ou talvez às borboletas mesmo – o governo agora tem um pretexto pronto, um pretexto de vítima, para gastar menos com "o social".

Ser neoliberal é jamais ter que pedir perdão.

EU SOU AMERICANO!

Fiz o *high-school* em Washington, o que quer dizer que todas as manhãs, durante três anos, coloquei a mão sobre o coração e jurei lealdade à bandeira dos Estados Unidos e à República que ela representava, uma nação, indivisível sob Deus, com liberdade e justiça para todos. Nunca fiz juramento parecido à bandeira brasileira. Além disso, no primeiro ano do *high-school*, o treinamento militar era obrigatório para os homens e uma vez por semana eu vestia um simulacro de uniforme do Exército americano, quepe e tudo, e fazia ordem unida antes das aulas. Aprendi até a desmontar e remontar um rifle. Estou teoricamente pronto para invadir o Iraque, caso precisem de mim.

Digo tudo isto porque li que chegou uma delegação do FMI para avaliar a situação econômica brasileira e estudar novas maneiras de nos ajudar. Como se sabe, não há nada mais perigoso do que ser ajudado pelo FMI, hoje em dia. O FMI ajudou a Indonésia e outros países asiáticos a se recuperarem dos efeitos da política financeira recomendada pelo FMI e agora eles não conseguem se recuperar dos efeitos da ajuda. Com a Rússia foi a mesma coisa. Não existe, mesmo, país no mundo que não esteja pior depois da ajuda do

FMI do que antes. E agora eles estão aqui para nos dizer o que fazer. Não adianta imitar aquela velhinha que tentou convencer o escoteiro que não queria atravessar a rua. Além de ser carregada para o outro lado esperneando, ainda foi chamada de ingrata. O FMI vai nos salvar nem que nos mate. O único país que se beneficia com a ajuda que o FMI dá aos outros é o que não precisa dela, os Estados Unidos. O negócio, portanto, é ir todo o mundo para a frente do hotel deles e gritar junto comigo:

– *Me american! Don't help! Me american!*

Não vejo outra saída.

PÚBLICO SECUNDÁRIO

Você eu não sei, mas eu leio todos os suplementos econômicos. Entendo apenas o suficiente para saber que devia entender mais, mas duvido que algum leitor do resto do mundo receba mais informação econômica do que eu. Fora as publicações especializadas, a imprensa internacional não dá metade da importância à economia que a nossa dá, nem tem uma crítica tão sofisticada. Um estrangeiro acostumado com velhos clichês sobre as nossas prioridades deve estranhar: economia tem mais espaço nos jornais brasileiros do que futebol. Só a existência de leitores como eu, que lêem análises econômicas para alimentar sua perplexidade mas nunca deixam de ler, explica o fenômeno. Dizem que os economistas escrevem uns para os outros. Somos o público secundário. Como o futebol, a economia brasileira também é um grupo de donos do assunto cercado por leigos ansiosos, todos convencidos de que os entendidos não entendem nada. A crise nos transformou em semiletrados em economia. Quanto mais a economia não dá certo, mais ela enche os suplementos. E como no futebol, você pode escolher lados e torcer pela análise com que simpatiza mais. Existem várias correntes de crítica econômica, todas com bons argumentos e todas provando que economia é uma espécie de matemática livre, em que o resultado das contas é uma questão de opinião. É grande a tentação de dizer da nossa fixação em economia o que a piada diz da histrionice italiana: na Itália, todo mundo é ator, pena que os piores é que estejam no palco. Temos tido ótimos profissionais no governo, muitos com prestígio de superastros, o que também não acontece no resto do mundo. Mas todos com um defeito em comum. Invariavelmente, só encontram as soluções para os nossos problemas quando saem do palco e vão para a crítica.

O MENDIGO DO BANCO CENTRAL

Os mendigos tradicionalmente ficam em portas de igreja porque, supõe-se, quem entra numa igreja dará esmola para ficar bem com Deus antes de visitar sua casa e quem sai dará porque está cheio de espírito cristão. Mas um mendigo moderno resolveu inovar, estudou atentamente o noticiário e foi fazer ponto na porta do Banco Central, que estava dando dinheiro a quem pedisse. Foi um fracasso. Ninguém do Banco Central dava esmola. Passava terno azul, passava terno azul e nenhum botava a mão no bolso. O mendigo leu mais um pouco do noticiário e decidiu mudar a tática. À mão estendida e ao olhar pedinte acrescentou um texto. Quando passava alguém, dizia: "Uma esmola, para evitar uma crise sistêmica". Os ternos continuavam passando, mas agora, pelo menos, olhavam para o mendigo. Finalmente, um não se conteve, parou e perguntou: "Que foi que você disse?". "Uma esmola, para evitar uma crise sistêmica", respondeu o mendigo. E continuou, já que começara a juntar gente para ouvi-lo: "Se eu não levar dinheiro para casa, minha mulher tem um ataque de nervos e bate em mim, e vamos os dois para uma fila do SUS agravar o problema da saúde pública no Brasil com sérios reflexos na imagem do governo e possíveis conseqüências em nível ministerial, com o Serra, que todos sabem como pode ser chato, pedindo mais dinheiro para o setor. Meus 17 filhos, sem ter o que comer, começarão a assaltar, pondo em risco a vida de cidadãos e aumentando a exigência de mais recursos para a segurança. Minha sogra, que é maluca, pode muito bem cumprir a ameaça de pôr fogo no barraco, e o fogo fatalmente se alastrará por toda a favela, criando um caos de dimensões inimagináveis que redobrará a cobrança de mais investimento social por parte do governo, além de espantar os investidores internacionais".

O pessoal do Banco Central estava se divertindo com o mendigo, mas ninguém ainda botara a mão no bolso. Até que o mendigo arrematou: "E com tanta pressão sobre o governo para dar dinheiro para o essencial, vai faltar dinheiro para o Banco Central dar aos bancos". Foi o que bastou. Com o horror estampado no rosto, todos se cotizaram para dar uma grande esmola ao mendigo e acertar um esquema de doações diárias.

A PRIMEIRA EREÇÃO DE ADÃO

Não sei se você pegou uma rápida piada do Robin Williams na entrega dos Oscars, a respeito de coisa nenhuma. A piada da primeira ereção da História. Adão para Eva, depois de ver sua nudez pela primeira vez:

– Chega para trás porque eu não sei até onde esta coisa cresce.

A primeira ereção de Adão pode servir como metáfora para tudo sem precedente que a gente não sabe como vai acabar. Essa crise nos mercados financeiros, por exemplo. Crises no mercado financeiro mundial não são inéditas, mas esta é a primeira que acontece sem a existência de uma alternativa antiliberal forte de qualquer espécie, da direita ou da esquerda, num mundo em que o capital financeiro não tem nada a temer salvo o seu próprio excesso.

Também é a primeira que acontece com o dinheiro finalmente transformado numa *commodity* sem nenhuma referência concreta, e num universo de informação simultânea em que nem um segundo separa o fato, ou o impulso do fato, do efeito, ou o impulso do pânico. Como na primeira ereção do Paraíso, ninguém sabe até onde esta coisa vai. Como Adão, não temos parâmetros.

Outra questão que lembra o tesão inaugural do Adão é essa do *bug* do milênio. Ninguém sabe o que vai acontecer, alguns só adivinham com mais autoridade. Como o computador nos desacostumou do que tínhamos antes, poderemos ter que recomeçar de muito antes, do hieroglifo, da contagem nos dedos, dos sinais de fumaça. Vivia-se antes do computador – o negócio é a gente lembrar como. Quando os dois zeros fatais chegarem, pode acontecer tudo, inclusive nada. Ninguém sabe.

Mas é melhor chegar para trás.

PARA ENTENDER A BOLSA

Para entender o que se passa nas bolsas, é preciso entender o seu linguajar particular. Como todos os códigos, o jargão serve para identificar quem está por dentro e excluir os não-iniciados, e se você está pensando em investir na bolsa deve começar aprendendo o significado de alguns dos termos mais usados, atualmente, por seus operadores e analistas. Tome nota.

Shit – Pronuncia-se *xit*. Vem do inglês, como grande parte das expressões ouvidas na Bolsa, e é empregada quando alguém recebe uma informação ou notícia, substituindo o *positivo* ou o simples *OK*, que caíram em desuso ultimamente.

Blue shit – O mesmo que *shit*, só mais enfático, dependendo da informação.

Downdraft – Sensação de ter engolido grande quantidade de ar, provocada pelo anúncio da última cotação de uma ação que não se conseguiu descarregar a tempo.

Argh – Pronuncia-se *argue*. Usado principalmente com relação às bolsas asiáticas. Também acompanha o gesto de bater repetidamente com a cabeça na parede, chamado de *circuit breaker*.

Dow-Jones – No Brasil, *daujones* é usado metaforicamente, numa referência anatômica. Como em "Numa hora destas é que é preciso ter daujones".

Prozac! – O mesmo que *Prosit!*, ou *Saúde!*, acompanhado de brindes. Usado nas reuniões de fim de pregão, quando cada um levanta seu copo de anti-ácido efervescente.

Ai, ai! – Dito com a mão apertando o peito, em caso de ataque cardíaco. Ou, se preferir o original americano, *Oh, oh!*.

&X@ZWTP! – Pronuncia-se &X@ZWTP! É como os operadores da bolsa se referem um ao outro, na hora de disputar, a cotoveladas, a atenção do único louco que está comprando.

Socorro! – Aportuguesamento de *help!*, que normalmente significa contração dos daujones.

IN ENGLISH

I am writing this in English to set an example. I think the Brazilian press has the patriotic duty to start publishing news and opinion in English so the people at IMF can know what is going on here on a daily basis without having to wait for reports and resumes. With the troublesome Portuguese out of the way, they can assess our situation directly by reading our newspapers and make the necessary decisions more quickly. Mr. Stanley Fischer won't have to shout "Terezinha!", like the late *Little Farm*, every time he wants Teresa What's-Her name to make a bad translation or clarify a language point for him, before telling us what to do. (Sorry, Stanley. Inside joke. *Little Farm*, or *Chacrinha*, was a TV personality who... Forget it. It has nothing to do with our present fix or with you.) A good part of our newspapers is already printed in English anyway, specially the real-estate advertising sections (*Manhattan Business Flats* etc.) and it is a well known fact that the Economy sections have been written in Greek for years. Most people in Brazil won't understand what they are reading but that will be for their own good, as the news gets worse and worse, and it will help to avoid panic. I plan to write in English from now on, reverting to Portuguese only in the case of untranslatable words like *marketing*, *currency board* etc. and hope that the responsible press will follow my lead.

(Resumo para quem ainda usa língua obsoleta. Estou escrevendo em inglês porque acho que a imprensa brasileira tem o dever patriótico de passar a usar uma língua que o FMI entenda, para o Stanley Fischer não ter que gritar "Terezinha!", como o Chacrinha, toda vez que precisar daquela Teresa Qual-Quer coisa para uma má tradução ou para esclarecer uma dúvida do português, antes de nos dizer o que fazer. Boa parte dos nossos jornais já é escrita em inglês, como os anúncios de imóveis (*Manhattan Business Flats* etc.) e todos sabem que as seções de economia são escritas em grego há anos. A maioria dos brasileiros não entenderá o que está lendo mas isto será para o seu próprio bem, já que as notícias tendem a ficar cada vez piores, e ajudará a evitar o pânico. Pretendo escrever em inglês daqui por diante, só recorrendo ao português no caso de palavras intraduzíveis como *marketing*, *currency board* etc. e espero que a imprensa responsável siga meu exemplo. Perdão, revisão.)

SOBERANOS

Não precisamos do FMI e fazemos questão que ele saiba disso. Já vai longe o tempo em que o Figueiredo cedia sua cama no Alvorada para a Ana Maria Jul e ia dormir na sala. Hoje não vai ninguém receber a missão do FMI no aeroporto e sempre dá confusão no hotel com a reserva.

– FMI... FMI... Como é que se escreve?

Eles mesmos têm que carregar suas malas para o quarto e tiram a sorte para saber quem dorme na cama sobressalente, um estrado coberto de palha. A privada não funciona. Despesas do frigobar são por conta deles.

A missão do FMI não nos olha mais de cima. No Ministério da Fazenda são colocados em cadeiras mais baixas do que as outras e a mesa fica à altura do seu nariz. O garçom tem ordens para derramar cafezinho neles sempre que puder. Na hora do almoço, ganham um sanduíche de mortadela e uma Fanta.

Nas reuniões com a nossa equipe econômica, todas as sugestões do FMI são recebidas com desdém.

– Desaquecer a demanda interna?

– Já estávamos fazendo isso sem que ninguém nos mandasse.

– Privilegiar as exportações para criar saldo na balança?

– Já estamos fazendo isso também.

– Restringir os gastos com cortes nos programas sociais e com uma recessão que custa empregos e salários?

– Não precisamos de vocês para nos dizer isso!

No fim das cansativas reuniões em que até as congratulações do FMI são recebidas com rancor e manifestações tipo "Vocês sabem o que podem fazer com seus parabéns", os visitantes não são convidados para sair à noite, em Brasília. O máximo que conseguem é um convite para ouvir a coleção de discos do Agnaldo Timóteo e tomar frisante no apartamento do Miltinho, um funcionário do Banco Central tão chato que sua gravata fugiu com outro.

Assim, mostramos nossa independência com relação ao FMI e reafirmamos nossa soberania. Estão pensando o quê?

OS ZÉS E OS ZÉS

Estes dias que nos transformaram todos em especuladores da Bolsa – especulando, ao menos, sobre onde vai dar tudo isso – também serviram para nos educar. Aprendemos que existe uma operação chamada, nas bolsas brasileiras, de "Zé com Zé", que consiste num investidor negociar títulos com ele mesmo, em síntese. Também poderia ser o nome de qualquer negócio de compadres no mundo financeiro, como aquele passeio que davam os títulos para pagar precatórios, de corretora em corretora, ou de Zé em Zé, até voltar ao Zé original, que os recomprava. O passeio era desnecessário, servia só para os Zés fazerem dinheiro do nada. Todo o sistema financeiro brasileiro é de Zés comunicantes.

A compadrice deveria se chamar, em respeito às suas gravatas, de "José com José" ou, já que são todos americanos de segunda mão, "Joe com Joe". O tom caipira de "Zé com Zé" é um escárnio consciente, porque caipiras mesmo são todos os habitantes do país aqui de fora que há anos paga a farra do seu setor financeiro. Que não passa da representação, apenas num nível de ganância e cinismo mais concentrado, da grande e antiga rede de cumplicidades do patriciado brasileiro, um compadrio tão forte que anula as divisões que em países menos brasileiros tocam a história econômica, como capital produtivo e capital finaceiro, poder agrário e poder industrial etc. Aqui existe uma irmandade tácita, básica, uma zecracia acima de todas as diferenças e unida na pilhagem.

Agora, os Zés nos convocam para uma vigília de caravana sitiada, porque o real estaria – ou não, há controvérsia nas barricadas – sob um ataque especulativo. Apelam até para o nosso patriotismo. E o domínio deles é tão perverso que não podemos nem dizer que eles, que são Zés, que se defendam. Porque, se os peles-vermelhas atacarem mesmo, pode ter certeza que eles se salvam e nós perdemos os escalpos.

DERRETER COM DIGNIDADE

"Meltdown* é um termo usado para usinas nucleares que escapam ao controle e consomem a si mesmas. Foi adotado pelo economês, ou pelo catastrofês, que hoje é a segunda língua da comunidade financeira mundial. Descreve a situação terminal de uma economia em que nada mais pode ser feito a não ser relaxar e derreter junto. Até o momento em que escrevo, ainda não se sabe se o Brasil está derretendo. A semana terminou com o governo literalmente atirando tudo para o alto e entregando a nossa sorte aos deuses do mercado, que ainda não tiveram tempo para se manifestar claramente. Uma das conseqüências teóricas de um *meltdown* nuclear é o reator em combustão descontrolada entrar terra adentro, atravessar o globo e sair do outro lado. Se na segunda-feira você acordar, olhar em volta e se ver cercado por chineses curiosos, é porque estamos mal.

A pior sensação de um *meltdown*, imagino, é a de impotência. Você fica impotente até para desprezá-lo. Não adianta fazer como aquele inglês nos trópicos que não se abaixava no meio de um tiroteio porque não era dali. Você pode não jogar na bolsa, não ter nada a ver com dólar e ser até meio PT: você é irremediavelmente, fatalmente, daqui. Seu futuro está nas mãos de 17 operadores de mesa de câmbio internacionais, todos com 28 anos e o penteado do Gustavo Franco. Console-se apenas com isto: sua vida não é sua há anos. A única novidade dessa crise aguda é que os disfarces se foram e a sua dependência total dos deuses iúpis ficou nua. Desde que o Fernando I nos botou nesse caminho, padecemos pelos interesses e pela prosperidade dos outros e não temos o menor controle sobre as nossas vidas, nem a privada nem a institucional. O Éfe Agá foi apenas o último a se dar conta disso, na iminência do *meltdown*. Os deuses ainda não decidiram se vamos derreter ou não. Se o derretimento for inevitável, só resta nos prepararmos para atravessar o globo com um mínimo de dignidade. Eu vou usar meu *blazer* azul.

USINAS

Com todas as rapsódias do capitalismo popular e da democratização do lucro, o fato é que, para a grande maioria das pessoas, as bolsas são lugares estranhos e remotos onde o dinheiro faz dinheiro e onde a Oferta e a Procura, as irmãs pagãs que regem a nossa vida econômica, vivem como deidades descarnadas, ditando não o reles valor das coisas mas de suas representações etéreas, seja num papel ou num gesto. Quer dizer, nada que se possa compreender, muito menos aproveitar. As bolsas são o clube privê de Oferta e Procura, onde elas vão depois do expediente na feira para relaxar, soltar os cabelos e gozar sua onipotência. Nas bolsas, livres de suas responsabilidades cotidianas e domésticas, Oferta e Procura podem enlouquecer e determinar não o preço da batata mas de uma intenção. E vez que outra, só para se divertirem, comem um investidor. Ou mil.

Como todos os lugares mágicos, as bolsas são vistas como lugares só para iniciados, onde um inocente fatalmente perderá suas calças para os feiticeiros. Um clube fechado onde só o fato de nos deixarem entrar já é suspeito. O consenso é que há sempre um demiurgo safado por trás de tudo, inclusive da aparente descontração de Oferta e Procura e dos seus jogos irresponsáveis.

Nas bolsas, tudo que faz o capitalismo funcionar existe em estado puro – a ganância e o medo, a busca da vantagem exclusiva e da submissão do outro, a audácia e a calhordice. Por isso, elas também representam o sentimento mais destilado que a maioria tem sobre os jogos do dinheiro: que é sempre uma armação de poucos para o proveito de poucos, por mais que a propaganda diga o contrário.

Acontecimentos como o quase *meltdown* do sistema só aumentam a perplexidade das pessoas com essas estranhas usinas de dinheiro que, como as usinas nucleares, beneficiam uma minoria quando funcionam e ameaçam todo mundo quando disfuncionam. E, como no caso das usinas nucleares, cada vez que a propaganda diz que a contaminação controlada prova que não há com o que nos preocuparmos, nos preocupamos mais.

COMO FOI

Agora pode ser contado. A escolha de *real* como nome da nossa atual moeda veio no fim de muita discussão. Procurava-se um nome forte, que transmitisse uma idéia de substância, confiança e permanência. Algo como *pataca* ou, melhor ainda, *patacão*. Um patacão, pela própria ressonância da palavra, nunca se desvalorizaria. Estaria subentendido que, mesmo perdendo seu valor de compra, sempre poderia ser usado para calçar uma porta.

A desvantagem de *patacão* era que tinha uma conotação muito antiga, quando o que se procurava era justamente algo que sinalizasse um novo começo. Como disse o então ministro da Fazenda Fernando Henrique Cardoso na reunião em que se decidiu o nome da nova moeda: "Seja qual for o resultado das próximas eleições, quero tomar posse com uma moeda que se pareça comigo e passe ao povo uma mensagem de novos tempos, uma nova liderança, um novo estilo e, acima de tudo, outro penteado."

Itamar ameaçou se retirar mas foi contido por auxiliares.

Alguém propôs, em vez de *pataca*, *batata*, que também dá a idéia de uma coisa positiva, firme. Enfim, ali, batata. Mas Éfe Agá queria algo mais curto. Uma boa palavra brasileira como *fim*, *chão*, *chega*, *tá, pronto, stop*. Algo concreto e definitivo. "Pão", sugeriu alguém. "Queijo", lembrou, claro, o Itamar.

Finalmente, chegou-se ao real. Observou-se que o nome tinha implicações anti-republicanas. Poderia sugerir que se estava preparando a administração de um monarca em vez de um presidente. Bobagem, rebateu energicamente Éfe Agá, agitando o seu cetro. Por via das dúvidas (uma frase que, curiosamente, só existe em português), na mesma reunião ficou decidido que, na impensável hipótese de a inflação não acabar, a pressão para desvalorizar a moeda ser demais e ser necessário rebatizar o real, em lugar de *real novo* seria adotado um nome de fantasia. Algo sonoro, atraente, fácil de guardar e de defender de ataques especulativos, como *dólar*.

Mas o real está aí, crescido, forte e corado, e só ainda não disse "papai" para ninguém porque não quer se comprometer politicamente. E a única ameaça à sua permanência não é a pressão cambial ou uma recaída inflacionária, mas o ACM resolver lançar sua própria moeda.

NOVA METAFÍSICA

"Deus não joga dados com o Universo", disse Einstein, para nos assegurar que existe um plano por trás de, literalmente, tudo, e que o comportamento da matéria é lógico e previsível. A física quântica depois revelou que a matéria é mais doida do que Einstein pensava e que o acaso rege o Universo mais do que gostaríamos de imaginar, mas fiquemos com a palavra do velho. Deus não é um jogador, o Universo não está aí para Ele jogar contra a sorte e contra Ele mesmo. Já os semideuses que controlam o capital especulativo do planeta Terra jogam com economias inteiras e podem destruir países com um lance dos seus dados, ou uma ordem dos seus computadores, em segundos.

Às vezes eles têm uma cara, e até opiniões, como o Soros, mas quase sempre são operadores anônimos, todos com 28 anos, e um poder sobre as nossas vidas que o Deus de Einstein invejaria. Deus, afinal, é o ponto supremo de uma cosmogonia organizada, não importa qual seja a sua religião. Todas as igrejas – a não ser a da Alcachofra Mística, fundada anteontem, provavelmente em Brasília – têm metafísicas antigas e hierarquizadas. Todos os deuses podem tudo, mas dentro das expectativas e das tradições das suas respectivas fés. Até a onipotência tem limites.

A metafísica dos operadores, dos deuses de 28 anos, é inédita. Não tem passado nem convenções. É a destilação final de uma abstração, a do capital desassociado de qualquer coisa palpável, até do próprio dinheiro. Como o dinheiro já era a representação da representação do símbolo de um valor aleatório, o capital transformado em impulso eletrônico é uma abstração nos limites do nada – e é ele que rege as nossas vidas. Bem feito para os neoliberais, que pensavam ter liberado o mundo de uma ilusão inútil, a da viabilidade de uma sociedade solidária, e se vêem prisioneiros do invisível, de um sopro que ninguém controla, da maior abstração de todas.

A FAMÍLIA CARDOSO

O grande problema dos economistas do governo não é fazer planos – isso eles fazem em cima da perna – mas falar conosco. Sempre que querem nos explicar a importância do equilíbrio entre receita e despesa, por exemplo, recorrem ao exemplo de uma família. E isso apenas aumenta a confusão. Eles sabem que quem não entende de economia é, por definição, um simples, e mesmo assim insistem em ser genéricos. O conceito de que não se pode gastar mais do que se ganha é difícil para um leigo, que quer detalhes convincentes. Os economistas dizem que o país é como uma família mas não especificam que família é essa. Não dizem, por exemplo, que a família se chama, sei lá... Cardoso. Família Cardoso, está aí. Não dizem para a gente pensar no Brasil como sendo a família Cardoso, só maior.

João e Maria Cardoso têm uma filha, Josimar, ou Josi, e um filho, Pedro (Pepeu). Moram num bairro de classe média e têm um carro, modelo 94, e uma cozinheira, chamada Cloeci. João é profissional liberal, digamos, médico. Ganha pelo SUS, o que o obriga a cobrar por fora sempre que pode e a jogar, jogar em tudo que encontra: bicho, sena, federal, tudo. Maria é psicóloga formada mas está fazendo sanduíches com uma amiga, chamada Vandinha, formada em direito, que chegou até a tentar uma carreira como cantora há alguns anos, mas isso não vem ao caso. A Josi vai fazer vestibular este ano e, já prevendo os gastos com a faculdade, o João entrou numa roda de pôquer com uma gente legal, gente de muito dinheiro mas legal, e no começo até ganhou bastante, tanto que os Cardoso passaram a ostentar um padrão de vida que impressionava os vizinhos: o Pepeu ganhou a bicicleta que queria, chegaram a pensar em trocar de carro e já estavam até pensando em Cancún quando, numa noite, o João jogou tudo que tinha num *four* de valetes e perdeu para um *four* de reis, os parceiros foram muito legais mas nem quiseram ouvir falar em parcelamento e o João teve que recorrer a um agiota, a quem paga mais por mês do que ganha, tendo recorrido a outro agiota para pagar o primeiro. Os Cardoso estão ameaçados de perder a casa e o carro e a Cloeci, claro, já se foi. E o pior é que o agiota, o Ferreirinha, anda fazendo ameaças.

O conselho dos economistas aos Cardoso é não gastarem mais do que ganham.

VANTAGEM DO PÂNICO

Antes do escândalo de janeiro, quando os bancos ganharam milhões de vezes o que nós perdemos com a desvalorização do real, houve o escândalo de novembro, quando veio a primeira ajuda do FMI só para cobrir a retirada dos grandes investidores americanos antes da desvalorização ser autorizada adivinha por quem. Falam do *crony capitalism*, o capitalismo de compadres, que seria a ruína das economias asiáticas, mas o exemplo mais tocante de compadrismo dos últimos tempos foi o pânico solidário do FMI quando pareceu que alguns dos seus amigos iam perder as calças no Brasil. O Stanley Fischer veio em pessoa pedir para segurarem tudo até que a sua turma saísse com dinheiro, e providenciou o dinheiro. A vantagem do pânico deles sobre o nosso é que o deles vem antes, quando ainda há tempo para fazer alguma coisa. E você que pensou que o FMI tinha se compungido com a nossa situação, em novembro! A emergência era deles. E é esse monetarismo de camaradas que passa como mercado impessoal e redentor, moralmente superior ao capitalismo de cúmplices de São Paulo, segundo o Gustavo Franco. Máfia por máfia, é uma escolha amarga.

Não lembro quem escreveu, há dias, que a grande decepção brasileira era que a comunidade financeira internacional não estava nos tratando como um país de brancos. A Inglaterra e outros países europeus tinham tido problemas como os nossos e nem por isso tinham sido abandonados. Quer dizer: por melhor que o Éfe Agá ficasse de sobretudo, na hora do aperto nos trataram como terceiro-mundistas de camisa estampada. Malan e Armínio estão agora viajando pelo mundo do dinheiro para convencer bancos e investidores privados de que não somos asiáticos, nem africanos e só circunstancialmente latino-americanos. Um pouco exóticos, talvez, mas de confiança, e prometemos não dar mais susto em ninguém.

UMA FÉ SIMPLES

Ouvi dizer que o Malan fez uma consulta urgente ao FMI na manhã do dia em que apresentaria ao Congresso o acordo do Brasil com aquela instituição. Como era cedo em Washington, o FMI não pôde responder à consulta imediatamente, pois ela dependia de uma decisão em nível superior. Malan já estava quase saindo para o Congresso quando, finalmente, veio o telefonema com a instrução:

– Use aquela xadrezinha.

Malan tirou a gravata que estava usando, botou a recomendada pelo FMI e foi fazer sua exposição.

Todos nós temos que nos acostumar com a idéia de que nossas vidas passaram a ser dirigidas pelo FMI nos seus mínimos detalhes pois, se ele não nos disser diariamente como escovar os dentes, comandará todas as decisões econômicas e administrativas que, cedo ou tarde, chegarão ao nosso banheiro. O que não deixa de ter o seu lado reconfortador. Todos que já se flagraram num momento de indecisão existencial, como abotoar a camisa de cima para baixo ou de baixo para cima, conhecem o terror do livre-arbítrio. Com o FMI tomando todas as decisões por nós, estaremos livres destes momentos paralisantes. O presidente, por exemplo, sem precisar fazer o que menos gosta no seu emprego, que é decidir, poderá se dedicar à sua nova tese sobre o Brasil, a teoria da dependência MESMO.

Deixar tudo nas mãos do FMI corresponde a deixar tudo nas mãos de Deus e se deve ao mesmo tipo de renúncia ingênua dos crentes. Só uma fé simples explica essa entrega a uma entidade que já provou que não funciona, que destruiu o que pretendia salvar e está em vias de desmoralização em todo o mundo racional. Mas, enfim, sempre fomos um país de místicos.

VERGONHAS

O Brasil mantém vivos os mitos que faziam os europeus se lançarem ao mar, em cascas de nozes, na conquista do desconhecido. Eles vinham para este Outro Mundo para explorar, subjugar, catequizar e – no caso dos portugueses – porque era preciso, mas também vinham atrás de fantasias. Uma das mais chamativas era a fantasia erótica. A expansão do Cristianismo se misturava com a expansão dos sentidos reprimidos na Europa da Reforma. Não é preciso ir além de *Os lusíadas* para flagrar (como fez, num livro fascinante chamado *The Book of Babel*, o inglês Nigel Lewis) a confusão, nas almas navegadoras portuguesas, entre a Virgem Maria, padroeira de Portugal e protetora dos seus navios, e Vênus, a estrela do mar, guiando-as para a Ilha do Amor e outros prazeres pagãos em paraísos ainda não conquistados. A Virgem com ares de Vênus de Camões é um pouco a Vênus com cara de Virgem de Botticelli, saindo de dentro de um *coquille Saint Jacques*, outra tentação marítima. A confusão é antiga. Maria vem de *mare*. Afrodite, o outro nome de Vênus, quer dizer *nascida da espuma* (*aphrós*, em grego). A espuma do mar tem conotação sexual e simboliza o esperma em vários mitos de origem – e não vamos nem falar nas alusões sexuais de conchas e moluscos. A fantasia era poderosa, e os fatos muitas vezes a reforçavam, com simbolismo irresistível. A grande aventura atrás de lucro e conhecimento por mares de testosterona teve uma espécie de síntese casual na primeira viagem do capitão Cook, em 1769. A viagem era para fazer um estudo astronômico da trajetória de Vênus. Acabou na descoberta da Polinésia, um arquipélago do Amor, e das suas nativas desinibidas e dadas. Hoje, os turistas sexuais que desembarcam de aviões no Rio ou no Nordeste brasileiro dispensam a estrela guia sedutora. Navegam pela nossa reputação, mas perseguem a mesma fantasia. E o que os entusiasma nas nossas nativas pré-adolescentes devem ser as mesmas "vergonhas tão altas e tão cerradinhas, de a nós muito bem olharmos, não tínhamos nenhuma vergonha" que entusiasmaram Pero Vaz de Caminha há 500 anos. Nada, na verdade, mudou.

Outro mito que o Brasil se encarregou de não deixar morrer é o de El Dorado, a fantasia da fortuna instantânea. El Dorado existe, e é aqui. Ou foi aqui, no mês de janeiro, quando alguns bancos lucraram de um dia para o outro o que provavelmente ninguém tinha lucrado de uma vez só, dentro da lei, em 500 anos. E não tivemos nenhuma vergonha.

IMPRESSÃO E ACABAMENTO

HAMBURG
DONNELLEY
GRÁFICA EDITORA

Rua Epiacaba, 90 Vila Arapuá
04257-170 São Paulo SP
Tel (011) 6946 0233
Fax (011) 6948 1555
hamburg@uol.com.br

FOTOLITOS FORNECIDOS PELO EDITOR